이병헌 각본집

집은 없고요, 꿈은 있습니다

감독
이병헌

박서준
아이유
김종수
고창석
정승길
이현우
양현민
홍완표
허준석

DREAM

DREAM

이병헌 각본집

너와숲

⚽ Preface 작가의 말

드림**DREAM**

—— '감독'이고 싶던 시절, 그러니까 데뷔 전인 2011년 어느 즈음. 2010년 브라질 홈리스 월드컵에 처음 출전한 대한민국 홈리스 대표팀을 TV 교양 프로그램에서 보게 되었다. 생소했다. 홈리스가 월드컵이라니. 정보가 모자랐던 한국 팀은 외국 팀들과의 기량 차이에 당황했다. 이미 일곱 해나 이어져온 대회의 외국 팀들은 대부분 준비가 잘 된 상태였고, 심지어 2부 리그 선수 출신도 더러 있었다. 첫 경기 '코스타리카'전. 제대로 된 공격 한 번 해내지 못하고 크게 패했다. 몸싸움이 허용되는 풋살 경기의 특성상 첫 경기에서 선수들의 부상도 잇달았다. 출전비 문제로 최소 인원이 참가한 한국 팀은 교체 선수가 모자랐고, 결국 현지(브라질) 용병 두 명을 투입했다. 이상하게 느껴지지만 홈리스 월드컵, 이 대회의 취지에 부합하는 룰이다.

—— 승패를 나누는 것은 최소한의 분류일 뿐, 누구도 다시는 낙오되지 않고 함께 완주하는 것. 대회는 사회의 축소판으로, 우리가 공동체에서 어떻게 살아가야 하는가를 쉽게 알려주고 있었다. 한국 팀은 브라질 용병의 활약으로 첫 승을 거뒀지만, 관중들은 첫 경기와 다르게 환호하지 않았다. 그 이유를 한국 팀 또한 잘 알았다. 그리고 다음 경기. 우승 후보와 맞붙은 독일전. 한국 팀은 붕대를 휘감고, 파스 스프레이를 뿌려가며 전원 자국 선수로 최강 팀을 맞이했다. 이길 수 없는 게임이었다. 그리고 졌다. 하지만 그 과정에서 많은 것을 보고 느꼈다.

한국 팀은 부딪혀 쓰러지면서도 계속해서 일어났다. 외국 관중들은 "대한민국"을 외치며 이미 이길 가능성이 없는 한국 팀을 응원하기 시작했다. 그리고 결국 얻어낸 한국 팀의 값진 한 골. 그 한 골이 의미하는 게 무엇인지, 왜 이미 진 경기에서 그토록 부서져가며 얻어내야만 했던 것인지, 그들의 사연을 모두 알 순 없었지만 커다란 회한이 느껴졌고, 그들의 지난 시간이 보이기 시작했다. 그 한 골은 다시 경기장 안으로, 사회라는 울타리 안으로 들어오려는 그들의 또 다른 시작이었다.

난 모든 일을 제쳐두고 영등포 청과시장 안에 있던 허름한 빅이슈 사무국을 찾아가 취재를 시작했다. 그 과정은 내가 얼마나 무지했는가를 절절하게 느낄 수밖에 없는 시간이었다. 당시엔 '노숙자'라 표현했다. 노숙자. 그저 지하도 어딘가에 누워 있는 이미지만 생각하고 있었다. 영화에도 소개되지만 그런 사람은 전체 홈리스의 5%도 되지 않는다고. 고시원을 비롯한 쪽방이나 시설 등에서 지내며 자활 의지가 있는 대부분의 홈리스에 대해 나 또한 편견을 갖고 있었던 것. 따지고 보면 월세 보증금도 없어 고시원에서 생활했던 나 역시 홈리스였던 셈이다.

그들의 사연은 다양했지만 내 주변에서 쉽게 벌어지는 일들이었다. IMF, 빚보증, 산업재해 등 어렵게 만들어낼 사연이랄 게 별로 없었다. 우리

근처에서 흔히 벌어지는 일들, 어쩌면 나에게도 벌어질 수 있는 일들. 대회에 출전했던 홈리스들의 자활 내용을 소개하는 책자에서 딸아이가 재가한 전처와 새아빠를 따라 이민 가게 되는 사연을 보게 되었는데, 딸아이를 부둥켜안고 울며 꼭 집을 마련해놓겠노라 약속했다고 그리고 열심히 <빅이슈> 잡지를 판매하고 있다고. 조폭 출신이라는 사람도 있었고, 게이라는 사람도 있었고, 부모가 자살해 고아원에서 자란 젊은 홈리스도 있었다. 이 모두를 영화에 담고 싶었다. 의미도 재미도 있는 가장 쉬운 형태의 대중영화로 많은 사람에게 소개되길 바랐다.

▬▬▬▬ 소외된 어느 방향을 둘러보는 것도 좋고, 그저 열심히 지금을 사는 모든 이들에게 작은 응원이 되어도 좋다. 어느 정도 이루었고, 이제 서점에서도 우리가 만든 혹은 옮긴, 이 진심이 우선은 재미있게 읽히길 소망한다. 이루 다 말할 수 없는 수많은 난관, 난관, 난관을 거쳐 결국엔 만들어낸 스태프와 배우들이 넘치게 자랑스럽고 정말 멋지다고 말해주고 싶다.

27개월간의 트레이닝과 완벽을 기한 리허설
홈리스 풋볼 월드컵 경기 장면을 위한 뜨거운 노력
108명의 현지 스태프가 참여한 부다페스트 로케이션 촬영까지!

영화의 하이라이트를 장식하는 한국 국가대표팀의 홈리스 풋볼 월드컵 경기 장면은 촬영 전부터 연습을 거듭해온 배우들의 열정과 한 달여에 걸친 해외 로케이션을 완벽하게 준비한 제작진의 노력이 있었기에 완성될 수 있었다. 특히 <드림>이 본격적인 촬영에 들어가기에 앞서 배우들은 2개월간 주 2회에 걸친 트레이닝 과정을 거쳤다. 실제로 홈리스 월드컵에 진출했던 감독과 트레이너가 합류해 배우들의 훈련을 담당했으며, 기본적인 체력 단련부터 드리블, 패스, 슈팅 등 기술 트레이닝을 비롯해 축구 동선의 합을 맞추는 과정이 훈련 전반에 걸쳐 이루어졌다. 프로 축구 선수 역할을 소화해야 했던 박서준은 개인 훈련은 물론 실제 축구 선수 출신으로 극중 경기 장면을 연기한 배우들과 별도의 연습 과정을 거치는 등 완성도 높은 장면을 위한 노력을 아끼지 않았다.

박진감 넘치는 경기 장면을 위해서는 액션 영화 못지않게 배우들과 촬영 스태프의 합을 완벽하게 맞추는 과정이 필요했다. 이를 위해 노승보 촬영감독은 조감독, 축구 코디네이터와 함께 동선 하나까지 디테일하게 설계

해 경기 장면을 계획했으며, 그라운드에 있는 모든 배우들은 수차례 리허설을 통해 체화한 호흡과 동작으로 자연스러우면서도 뜨거운 열기가 느껴지는 경기 장면을 완성해냈다.

한편, 실제로 전 세계에서 개최되는 홈리스 월드컵 현장을 구현해내기 위해 제작진은 2010년 브라질 리우데자네이루 홈리스 월드컵의 컬러풀한 디자인과 특유의 축제 분위기를 참고했다. 뿐만 아니라 이병헌 감독과 김창열 제작자, 노승보 촬영감독은 실제 다녀온 2015년 네덜란드 암스테르담 홈리스 월드컵에서 본 랜드마크에 설치된 특설 경기장과 규모감 있는 행사장, 그리고 다양하게 개최된 이벤트를 토대로 <드림> 속 홈리스 월드컵 현장 촬영을 준비했다.

헝가리 부다페스트에서의 해외 로케이션 촬영을 통해 생생한 현장감이 더해진 <드림>의 홈리스 풋볼 월드컵 장면은 약 한 달간 총 15회에 걸쳐 촬영됐으며, 국내 스태프 60명과 헝가리 현지 스태프 108명이 동원됐다. 이처럼 배우들과 제작진의 치열한 노력 끝에 완성된 홈리스 풋볼 월드컵 경기 장면은 홈리스 국가대표팀의 꿈을 향한 땀과 열정을 고스란히 전한다.

"<드림>은 보통을 향한 꿈을 꾸는 사람들의

이야기를 담은 영화다. '모두에게 기회가 있다'고 말하는

이야기를 무엇보다 재미있게 그려내고 싶었다."

_이병헌 감독

　　1626만 관객을 사로잡은 <극한직업>에 이어 현실공감 유발하는 청춘들의 이야기를 솔직하고 유쾌하게 담아낸 [멜로가 체질]에 이르기까지 생동감 넘치는 캐릭터와 전매특허 찰진 대사, 이야기에 경쾌함을 불어넣는 위트 있는 연출로 호평받아온 이병헌 감독이 4년 만에 스크린으로 돌아왔다. 2010년 대한민국이 첫 출전했던 홈리스 월드컵 실화를 모티브로 새롭게 창작한 <드림>은 매력 넘치는 캐릭터 군단의 예측할 수 없는 활약과 극강의 케미스트리로 전에 없던 매력의 영화로 완성됐다. "특별해 보이지만 동시에 보통의 면모를 지닌 사람들의 이야기를 소개하고 싶었다. 무엇보다 작품 속에 담긴 의미를 무겁지 않고 재미있게 전하고자 했다"는 이병헌 감독은 불가능한 꿈을 향한 특별한 도전을 통해 저마다의 성장과 변화를 이뤄가는 인물들의 이야기를 특유의 유쾌한 톤으로 풀어냈다. 대체 불가한 시너지를 발산하는 캐릭터들의 조합으로 올해 가장 매력 넘치는 케미스트리를 선보인다.

작품	[유니콘](2022) 크리에이티브 디렉터
	[최종병기 앨리스](2022) 총감독
	[어게인 마이 라이프](2022) 각색
	<귀여운 남자>(2021) 각본
	[멜로가 체질](2019) 연출, 각본
	<극한직업>(2019) 연출, 각색
	<레슬러>(2018) 각색
	<바람 바람 바람>(2018) 연출, 각색, 음악지원
	[긍정이 체질](2016) 연출, 각본
	<스물>(2015) 연출, 각본
	<오늘의 연애>(2015) 각본
	<타짜: 신의 손>(2014) 각색
	[출출한 여자](2013) 연출, 각본
	<힘내세요, 병헌 씨>(2013) 연출, 각본, 제작
	<써니>(2011) 각색, 스크립터
	<냄새는 난다>(2009) 연출, 각본
	<과속스캔들>(2008) 각색 등

수상경력	2019 제8회 대한민국베스트스타상 감독상 <극한직업>
	2019 제3회 안양申필름예술영화제 신상옥감독상 <극한직업>
	2019 제21회 우디네극동영화제 관객상 <극한직업>
	2012 제38회 서울독립영화제 관객상 <힘내세요, 병헌 씨>
	2009 제7회 아시아나국제단편영화제 최우수 국내 작품상
	<냄새는 난다> 등

Contents 차례

DREAM

캐릭터 소개

누가 재능을 기부해?
재능 없어서
축구 관둔다잖아.

쏘울리스 축구 선수

윤홍대
COACH

⚽ 홈리스 국가대표팀 감독을 맡게 된 전직 축구 선수

상황에 떠밀려 반강제로 계획에도 없던 감독이 됐건만, 택견을 하는 건지 축구를 하는 건지 알 수 없는 홈리스 선수들의 모습에 두 눈을 의심한다. 게다가 감동 코드의 극적 연출을 기획하는 다큐 PD 소민까지 가세, 그나마도 없던 영혼까지 탈탈 털리는 홍대. 하지만 더 이상 물러날 곳 없는 현실에 각본을 넘어 애드리브를 덧붙이며 홈리스 선수들과 강훈련을 이어가는 사이, 어느덧 월드컵 출전일이 코앞에 다가온다.

CAST 박서준

영화 <청년경찰>, <사자>, 드라마 [이태원 클라쓰], 할리우드 진출작 <더 마블스>로 글로벌 시장에 진출하며 대한민국을 대표하는 배우로 거듭난 박서준이 영화 <드림>으로 4년 만에 스크린에 복귀한다. 홈리스 축구단의 영혼 없는 감독 홍대로 분한 박서준은 알면 알수록 인간적인 면모가 드러나는 홍대를 리듬감 살아 있는 연기로 완벽하게 소화해내며 캐릭터의 매력을 한층 배가시켰다. 이병헌 감독이 "박서준 배우의 캐스팅과 동시에 영화가 완성된 느낌이 들었다. 함께 작업하면서 굉장히 센스 있고 좋은 배우라고 느꼈다"라고 큰 애정을 드러낸 박서준은 이전에 본 적 없는 새로운 얼굴을 보여준다.

⚽ 홈리스 국가대표팀의 다큐멘터리를 제작하는 PD

늘 웃는 얼굴로 할 말 다 하는 솔직함으로 상대방에게 현타를 날린다. 목줄 던져놓고 제작에 뛰어든 다큐인 만큼, 각본 없는 감동 드라마를 위한 치밀한 각본까지 준비를 마쳤건만, 비협조적인 감독 홍대와 무엇 하나 예상대로 흘러가지 않는 홈리스 축구단 때문에 한시도 마음 놓을 수 없는 소민. 하지만 절대 포기할 수 없는 소민은 사회생활 만렙의 스킬로 프로젝트를 성공적으로 이끌어가기 위해 고군분투한다.

CAST 아이유
....
드라마 [나의 아저씨], [호텔 델루나], 칸 국제영화제 초청작 <브로커>에 이르기까지 다양한 작품에서 폭넓은 캐릭터를 연기해온 아이유가 <드림>으로 이병헌 감독과 첫 호흡을 맞추며 신선한 캐릭터 변신에 도전한다. 자신의 열정을 딱 최저시급에 맞춘 열정 없는 PD 소민 역을 맡은 아이유는 그동안 쌓아온 탄탄한 연기력을 바탕으로 밝고 당차면서도 현실적인 캐릭터를 완성해냈다. "<드림>이 가지고 있는 의미를 알아준 것 같다. 준비를 정말 많이 해오고 그걸 또 현장에서 거리낌 없이 해내는 모습이 고마웠다"라며 이병헌 감독이 극찬을 아끼지 않은 아이유는 대체불가 존재감을 보여준다.

미친 세상에
미친X으로 살면
그게 정상 아니야?

열정리스 현실파 PD
이소민

안 붙었으면 모를까 붙었으면 이겨야 될 거 아이가.

노장투혼! 올드보이

김환동

⚽ **홈리스 국가대표팀 최고령 선수**

체력은 최하위지만 실력은 안정권, 리더십은 최상급이다. 축구단의 큰형님으로 제 역할을 톡톡히 해내는 환동. 국가대표에 발탁되었다는 기쁨도 잠시 예상치 못한 위기가 찾아오지만, 일생에 단 한 번 찾아온 천금 같은 기회를 포기할 수 없는 그만의 이유가 있다.

CAST 김종수

영화 <킹메이커>, <헌트>, 드라마 [킹덤] 등 다양한 작품에서 탄탄한 연기력을 입증해온 배우 김종수가 <극한직업>과 <스물>에 이어 다시 한번 이병헌 감독과 만났다. 김종수는 홈리스 풋볼 월드컵 국가대표팀의 맏형이자 몸을 사리지 않는 노장 투혼을 발휘하는 환동 역을 맡아 탄탄한 연기 내공을 발산한다. 이병헌 감독이 "환동은 변화 이전과 이후가 극단적으로 다르기 때문에 신뢰할 수 있는 배우와 함께하고 싶었고, 당연히 김종수 배우가 먼저 생각이 났다"라며 신뢰감을 전한 만큼 놓칠 수 없는 활약을 선보인다.

⚽ 홈리스 국가대표팀의 에너자이저

골 결정력 제로, 공을 차는 힘을 조절하는 것도 쉽지 않지만 타고난 힘과 체격이 남다른 홈리스 축구팀 수비의 핵이다. 말 그대로 온몸으로 부딪치는 축구를 하는 효봉. 하지만 딸 은혜만 보면 온몸이 사르르 녹는 아빠 미소를 짓는 천생 딸바보로, 은혜에게 멋진 아빠가 되기 위해 투혼을 발휘한다.

CAST 고창석

영화와 드라마, 뮤지컬과 연극을 오가며 폭넓은 무대에서 다채로운 캐릭터를 소화해온 배우 고창석이 <드림>에서 딸바보 효봉으로 분해 푸근하고 인간미 넘치는 연기를 선보인다. 힘든 상황에서도 늘 웃음을 잃지 않고 하나뿐인 딸을 위해 최선을 다하는 아빠 효봉의 모습은 많은 이들의 공감대를 자극할 것이다. 이병헌 감독이 "웃는 모습을 볼 때 그런 생각을 했던 것 같다. 고창석 배우는 어쩌면 효봉과 닮은 사람일 수도 있겠다고"라는 말을 전한 만큼, 고창석은 특유의 인간미 넘치는 매력으로 캐릭터와의 완벽한 싱크로율을 보여준다.

아빠가 진짜
댑따 좋은 집
만들어놓을게.

딸바보! 핵꿍뎅이

전효봉

내가 너 하나는 이긴다!

일편단심! 반칙왕 범수

손 범 수

⚽ 홈리스 국가대표팀의 폭주 기관차

모든 것을 걸고서라도 지켜주고픈 사람이 축구를 좋아한다는 말에 단숨에 홈리스
축구단에 합류한다. 홍대를 향한 불타오르는 질투심을 원동력 삼아 앞뒤 안 가리고
질주하는 범수. 덕분에 다져진 반칙 기술이 그만의 트레이드 마크가 된다.

CAST 정승길

드라마 [멜로가 체질], [비밀의 숲 2], [대행사] 등에서 선과 악을 넘나들며 대중의 시선을 사로잡은
정승길이 반전 매력의 소유자 범수 역으로 분했다. 정승길은 승리를 위해서라면 반칙도 불사하는
거침없는 모습부터 한 여자만 바라보는 일편단심 면모를 동시에 보여주며 예측할 수 없는 재미를
선사한다. 특히 이번 작품에서는 실제 아내이자 배우인 이지현과 극중 연인 호흡을 맞춰 눈길을
사로잡는다. 이병헌 감독이 "사석에서 뵙고 아내분과 돌아가는 모습을 보며 막연하게 '범수
같다'는 생각을 처음 하게 됐고, 이 역할을 정승길 배우가 해줬으면 좋겠다고 생각했다"고 캐스팅
비하인드를 전한 정승길은 개성 넘치는 매력을 유감없이 발휘한다.

⚽ 홈리스 국가대표팀의 스트라이커

훈련에 안 나오기로 유명하지만 제대로 된 선수가 반드시 필요했던 홍대의 맞춤형
설득으로 인해 국가대표팀 합류를 결심한다. 숫기 없고 말도 없는 소심한 성격,
게다가 눈을 덮은 머리카락으로 앞이 잘 보일까 싶지만, 기가 막힌 슈팅 실력을
발휘하며 유일한 희망으로 떠오른다.

CAST 이현우

최근 영화 <영웅>의 젊은 독립투사 유동하, 넷플릭스 시리즈 [종이의 집: 공동경제구역]의 혈기
가득한 리우 역으로 활발한 연기 행보를 이어가고 있는 배우 이현우가 <드림>으로 이전과 또 다른
새로운 캐릭터에 도전한다. 홈리스 국가대표팀의 막내이자 히든카드 인선 역을 통해 깊은 속내를
지닌 동시에 순수한 매력이 빛나는 캐릭터로 인상 깊은 연기를 예고하는 이현우. 이병헌 감독이
"얼굴을 보면 단번에 '인선이 같다'는 생각을 하게 만드는 배우였다"라고 전할 만큼 캐릭터에
완벽히 빠져든 이현우는 <드림>을 통해 눈부신 활약을 펼친다.

크로스!

히든카드! 한국산 호랑이

김인선

내가 싹 다 막아벌랑게!

반전 매력! 앵그리 키퍼

전문수

1

⚽ 홈리스 국가대표팀의 골키퍼

한 치 앞도 예측할 수 없는 감정 변화가 그날 경기의 관건이라고 할 만큼 감정파다. 의욕적으로 훈련하다가도 순식간에 감상에 젖기 일쑤인 문수. 하지만 결정적인 순간에는 파이팅 넘치는 에너지로 홈리스 축구팀 멤버들의 사기를 한껏 끌어올린다.

CAST 양현민

영화 <대무가>, <극한직업> 등 매 작품 남다른 존재감을 뽐내온 양현민은 <드림>에서 홈리스 국가대표팀 골키퍼 문수 역으로 극에 더욱 풍성한 재미를 더한다. 강한 인상과 다혈질 성격 탓에 거칠어 보이지만 알고 보면 여리고 여린 문수를 연기한 양현민은 이번 작품을 통해 다채로운 매력을 선보인다. 이병헌 감독이 "문수 캐릭터와 가장 싱크로율이 높은 것 같다. 실제 모습은 정말 한없이 재미있고 쾌활한 배우다"라고 전한 양현민은 예측 불가하지만 시종일관 경쾌한 에너지를 보여준다.

⚽ 홈리스 국가대표팀의 베일에 싸인 선수

사연을 알 수 없지만 어쩐지 호기심을 자극하는 신비한 아우라와 국가대표라는 타이틀에 걸맞은 피지컬 덕에 발탁됐다. 어딘가 독특하지만 비관과 해탈을 오가는 차분한 텐션을 유지하며 오합지졸 선수들 사이에서 묵묵하게 제 몫을 해낸다.

CAST 홍완표

영화 <힘내세요, 병헌 씨>의 게으른 영화감독 병헌, [꽃 피면 달 생각하고]의 얄미운 왈자패 계상목 등 변화무쌍한 캐릭터를 선보여온 홍완표가 <드림>에서 신비주의 축구 선수 영진으로 분했다. 마치 밀림 속 타잔을 연상시키는 특이한 헤어스타일에 묘하게 차분한 톤을 가진 영진은 궁금한 매력을 발산한다. 이병헌 감독이 "홍완표 배우가 가지고 있는 특유의 개성과 텐션이 영진 캐릭터와 잘 어울린다고 생각했다"라고 전한 대로 특별한 개성의 캐릭터를 자신만의 색깔로 그린 홍완표는 색다른 재미를 더해준다.

저는 뭐… 저도 상관없어요. 어차피 이겨본 적이 없어서.

신비주의! 밀림의 왕
조영진

13

우린 강요하지 않아요. 자발적으로 하지 않으면 아무 의미 없거든요.

긍정 파워 사무국장

황인국
사무국장

⚽ 한국 팀의 홈리스 풋볼 월드컵 출전을 기획한 빅이슈코리아 사무국장

어떤 상황에서도 긍정을 잃지 않는 정신력과 사람 좋은 성격의 소유자다. 어디로 튈지 모르는 선수들을 비롯해 시도 때도 없이 티격태격하는 홍대와 소민까지 아우르며 바람 잘 날 없는 대표팀의 중심 역할을 톡톡히 해낸다.

CAST 허준석

<스물>, <극한직업>, [멜로가 체질] 등 꾸준히 이병헌 감독과 작품을 함께해온 배우 허준석이 <드림>에서 사무국장 인국으로 또다시 호흡을 맞췄다. 어떤 위기에도 희망을 잃지 않고 오히려 모두의 사기를 북돋아주는 열정 캐릭터로 분한 허준석은 부드러우면서도 결정적인 순간에는 강단 있는 모습을 자연스러운 연기로 소화해냈다. 이번 작품을 통해 호흡을 맞춘 박서준이 "친형이면 좋겠다는 생각이 들 정도로 많이 가까워졌다"라고 각별함을 드러낼 만큼 허준석의 밝은 에너지는 극에 기분 좋은 활력을 불어넣는다.

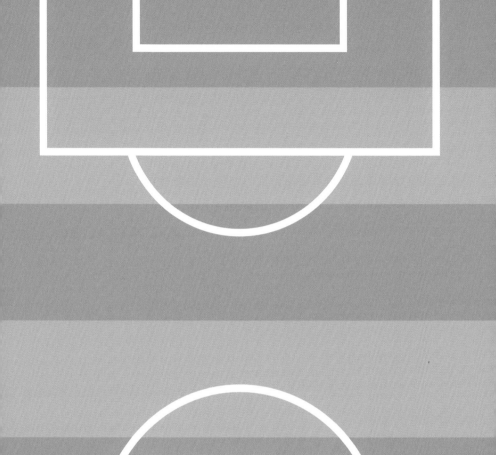

DREAM

각 본

a. 선수 대기실

가볍게 몸을 풀거나 유니폼을 걸치고 있는 선수들 사이.

등번호 9번. 정서를 가늠할 수 없는 뒷모습 Track In.

b. 축구 경기장 입장 터널

저벅저벅. 경기장으로 나가는 선수들의 발.

고막을 찢을 듯 울리는 부부젤라 사운드 점차 상승.

c. 축구 경기장

그라운드를 매섭게 달리는 선수들의 발.

프로 축구 서포터즈의 광기 어린 응원.

공중 볼을 차지하기 위한 치열한 몸싸움.

떨어진 공을 미드필더에게 패스하고 전력 질주하는 에이스 성찬.

몸싸움에 밀려 넘어졌다가 일어선 등번호 9번. 윤홍대(27).

성찬을 바라보는 홍대의 눈빛이 긴박한 경기 호흡과 다르게 정적이다.

이내 에이스의 뒤를 쫓아 달리기 시작하는 홍대.

d. 기자회견장

FC서울 VS. 수원FC 경기 전 기자회견.

서울 자리엔 감독과 에이스 박성찬, 그리고 끝자리에 홍대 앉아 있다.

기자	박성찬 선수, 빅 리그에 진출하기 전 마지막 경긴데요. 어떠세요?
성찬	빅 리그도 중요하지만 오늘 경기도 그 이상으로 중요한 빅 매치이기 때문에….

e. 축구 경기장

수비수를 제치고 질주하는 미드필더.

악을 지르며 지시하는 감독. 피를 토해낼 지경인 서포터즈.

"공을 빼냅니다!! 공을 빼냅니다!! 박성찬 선수 달립니다!"

미드필더 쪽을 바라보며 전력을 다해 달리는 성찬.

그 뒤로 성찬을 바라보며 전력을 다해 달리는 홍대.

"아~ 윤홍대 선수도 달립니다!! 2 대 3. 결정적인 서울의 찬스!!

윤홍대 선수 벌려줘야죠! 벌려줘야 됩니다!!"

f. 기자회견장

여전히 성찬에게 쏟아지는 질문 세례. "박성찬 선수에게 질문하겠습니다." 점프 컷 반복.

그 가운데 손을 번쩍 올리는, 눈이 너무도 해맑은 남자 기자.

해맑은	윤홍대 선수에게 질문하겠습니다! 어머니가 수배 중이신데 혹시 어머니의 도피를 돕고 계신가요?
홍대	(표정 변화 없이 해맑은 기자를 바라보기만) ….

사회   (난감) 네…, 경기 관련 질문만 해주시면 좋겠습니다.

g. 축구 경기장

잔디를 헤치며 달리는 성찬의 발.
힘껏 공기를 가르는 응원단 기수의 깃발.
그리고 그 뒤를 바짝 쫓는 홍대의 발.
고속촬영. 성찬의 뒷모습. 그리고 기를 쓰고 성찬을 따라잡으려는
홍대.
어느덧 나란히 동등 선상에서 달리는 두 사람.
열심히 달리고는 있지만 점차 뭔가 좀 이상하게 느껴지는 성찬.

h. 기자회견장

또다시 해맑은 눈으로 손을 번쩍 드는 남자 기자.

해맑은   윤홍대 선수에게 질문하겠습니다. 어머니의 도피 생활
             이….
사회   저기요! 도피라는 단어 사용은 자제를….
해맑은   도주 중인 어머니께선 내일 경기를 어디서….
사회   저기요…!!

사회자가 소리를 높이자 불쾌하게 울리는 마이크 하울링. 삐―.
홍대는 표정 변화 없이 해맑은 기자를 바라보기만.

i. 축구 경기장

고속. 악을 쓰며 지시를 하다 뭔가 4차원적인 모습을 발견한 듯 멍해지는 감독.

같은 팀 공격수가 어깨싸움을 하며… 나란히 달리고 있다.

캐스터	벌려줘야 되는데… 이게… 나란히… 음… 나란히 전술…인가요?
해설	이게… 보통은 안 이러는데….
캐스터	2인 3각 경기 같기도 하고요. 이러면 뭘 할 수 있는 거죠?
해설	아…. 뭐 트윈 슛 아니면 쌍둥이 총알 슛이라고… 옛날에 〈축구왕 슛돌이〉에 나왔던 건데… 아… 뭔 소리야….

뭔가 굉장히 어색한 성찬. 더욱 힘껏 달린다.

앞서가는 성찬을 따라가지 못하고 뒤처지는 홍대.

다시 성찬의 뒷모습을 보게 된다. 잡아보고 싶지만 잡히지 않는다.

슬퍼 보이기도 하고… 심드렁해 보이기도 한다.

미쳐가는 감독의 절규. "미. 친. 새. 끼야~~!!"

j. 선수대기실

복도. 대기실에서 미사일처럼 튕겨 나와 부서지는 의자.

의자를 내팽개치는 감독을 뜯어말리며 밖으로 내모는 코치들.

장비를 챙기는 선수들. 그저 멍하니 앉아 있는 홍대. 그 옆 홍대를 꼬 나보는 창렬.

창렬   니가 요즘… 기분 병신인 건 아는데… 아무리 그래 도… 하긴… 축구하면서 같은 편 마크하는 새끼 언제 또 보겠냐….

k. 경기장 밖

입구에서부터 달려드는 기자들.
홍대가 나오면 기다렸다는 듯 모든 기자들이 홍대에게 몰린다.

기자   같은 편 선수를 쫓아 달린 건 교란 작전이었나요?!

기자   상대 팀도 당황했습니다! 뭐한 겁니까?! 감독이 지시했 습니까?!

기자   일종의 퍼포먼스 아닌가요?! 어머니를 잡지 못하는 우 둔한 경찰의 모습을 조롱하는 퍼포먼…?

그 소리에 멈칫 서서 돌아보는 홍대. 보면,
해맑은 기자가 해맑게 눈을 깜빡이며 홍대를 바라보고 있다.
가까이 다가서는 홍대. 해맑게 대답을 기다리고 있는 기자에게.

홍대   눈이 예쁘네.

해맑은   (수줍) 작년에 쌍수했어요. 누나가 성형외과 다녀서 직원 할인….

순간. 팟!!
꼿꼿한 두 손가락으로 기자의 눈을 찔러버리는 홍대.
절규하며 눈탱이 부여잡고 쓰러지는 기자.
더 이상 공격의 의지도 없는 홍대를 지랄 오버하며 말리는 창렬.
그 오버하는 창렬의 무릎과 발에 의도치 않게 몇 대 더 얻어터지는
해맑은 기자.
순간, 일대 아수라장이 되어가는 모습에서….

홍대의 기자 눈 찌르기 장면을 조악한 CG로 합성한 패러디 영상.

음료수 자판기 앞에서 버튼이 눌러지지 않아 짜증 내는 여대생.

난데없이 눈 찌르기 하는 홍대의 짤이 등장해 버튼을 찌르자 덜컹, 음료수 나옴.

식당. 안쪽에 얼마 남지 않은 냅킨을 빼려는데 잘 되지 않자 짜증 내는 아줌마.

그때, 홍대의 짤이 등장해 눈 찌르기 하듯 냅킨을 빼주는 등의….

김 대표(소리) 재밌네.

넓직한 타원형 테이블에 김 대표와 직원 1, 2, 3.
벌떡 일어나 걷기 시작하는 김 대표. 직원들의 다발총 말투를 따라 하
는 홍대.

김 대표	기사 몇 개 올라갔어?
직원 1	지방 언론까지 백마흔두 갭니다.
김 대표	뭐 아이돌이야? 왜 그렇게 관심이 많아?
직원 2	아무래도 이전에 보지 못했던 콘셉트의 폭력 방식이 크게 어필한 것 같습니다.
직원 3	보통 폭력 사건은 죽빵을 날리기 마련인데, 눈깔을 찌른 건 굉장히 희귀한 케이스입니다.
홍대	지단은 박치기, 수아레스는 물어뜯기를 했습니다. 새로운 트렌드를 만들고 싶었습니다.
직원 1	그렇다면 확실히 성공했습니다.
김 대표	확 씨…. 쯧…. 눈 찔린 애는 합의한대?
직원 2	피해 기자와 합의는 했지만 축구협회 징계는 유효합니다.
홍대	본인이 은퇴한다는데 왜 징계를 걱정하고 앉아 있습니까?

직원 3	지금은 시기가 적절하지 않습니다.
직원 1	군대로 치면 불명예제대죠.
홍대	만기 제대하고 식당 가면 뭐 계란 프라이 하나 더 줍니까? 똑같습니다.
직원 2	연예계, 그렇게 호락호락 생각하시면 안 됩니다.
김 대표	야! …호락. 예명으로 호락, 어때? 좋을 호에 즐거울 락. 호락!

잠시 정적…을 깨고 누가 먼저랄 것도 없이 갑자기 박수 치며 환호하는 직원들과 김 대표.

홍대	와… 다른 회사도 이렇게 회의해?
김 대표	자, 우리 호락이 이미지 세탁하고 연예계에 안착시켜보자. 3시까지 대응 방안 기획서 열 개씩 뽑아서 다시 집합.
직원 3	(놀람) 지금 1신데요?
김 대표	응? (시계 보고) 그럼 2시까지. 끝.

김 대표, 저벅저벅 걸어가 회의실 문을 벌컥 열면.

대표 사무실 앞 복도 / 낮

대표 사무실 문이 벌컥— 열리며 신경질적인 표정의 홍대가 저벅저벅 걸어 나온다.

홍대   안 해! 안 해!

김 대표   (사무실에서 들려오는 소리) 원위치! 다시 들어오는데 3초 줄게. 하나. 둘. 셋!

스르르 문이 닫힐 때쯤 문을 박차고 나오는 김 대표.

김 대표   어, 안 들어올 줄 알았어. 엘리베이터 올 때까지 들어. (엘리베이터 왔다) 어, 금방 올 줄 알았어. 4층 건물인데 뭐 얼마나 걸리겠니. 그치? (엘리베이터에 올라타는 홍대에게) 너 어머니 합의금 필요한 거 아니야?!

문이 닫힐 찰나, 어금니를 악물고 열림 버튼을 누르는 홍대.

홍대   후… 아, 예능 하나 잡아 오랬더니 뭐? 노숙자 월드컵? 내가 그지야?!!

김 대표   니가 그지든 재벌이든 난 너로 돈을 벌 수 있냐 없냐 그 것만 생각해.

홍대   와~ 말 진짜 드럽게 한다.

김 대표   물론이지. 나 나쁜 사람이잖아. 나쁜 사람은 원래 말 드
          럽게 하는 거야. 들어와 앉아.

강압적으로 말을 던지곤 뒤돌아 벌컥 문을 열면.

벌컥 문이 열리며 다급히 들어오는 소민.

소민   죄송합니다! 늦어서 죄송합니다!

김 대표   (책상에서 일어나 응접 소파로 안내하며) 안 늦었는데?

소민   (시계 보고) 아, 안 늦었구나. (천진한 미소) 사는 게 빡빡하니까 정시에 도착하면 지각한 느낌이 드네요. 호호호호.

김 대표   바쁘게 살면 그래. 그게 맞아.

김 대표의 안내로 자리에 앉자마자 다시 일어나 홍대에게 인사하는 소민.

소민   (특유의 천진 미소) 안녕하세요, 평소 팬은 아니었지만 잘 보고 있었습니다. 호락 씨, 개명하셨다고.

김 대표   개명 아니고 예명.

적절히 빡친 미소로 대응하는 홍대.
바쁘게 사는 김 대표와 소민의 조합이 굉장히 산만하고 스피디함.

김 대표   다큐멘터리 찍는 이소민 피디. 얘가 진짜 슬프게 잘 찍어. 신파 정서가 있거든. 봐, 이미 열정이 지난 나인데 열정 페이 받고 일해.

소민 열정은 오르는데 월급은 안 올라서요. 제 열정을 최저
임금에 맞췄더니 그 후론 마음이 한결 편해졌습니다.
<u>오호호호.</u>

김 대표 키야~ 성실해~, 아하하하.

꿍짝이 맞아 좋다고 웃어대는 김 대표와 소민.
슬슬 짜증스러운 미소가 번지는 홍대. 견디고 있다. 이 상황을….

소민 (노트북을 켜며) 그럼 제가 바로 설명을 좀 드려도 될까
요? 우리가 또 늘어지면 안 되니까….

김 대표 역시. 리듬을 알아.

5b. 영등포공원 풋살 경기장. 낮

다소 좁게 보이는 경기장.
홈리스 축구단 열댓 명이 황인국 국장의 지도를 받으며 드리블 훈련
을 하고 있다.
말이 지도지 처음엔 일렬이던 줄이 드리블을 시작하자마자 공을 쫓
느라 금세 어지러워진다.
컷. 편을 나누어 게임을 하는 노숙자들. 공이 없는 곳에서 부딪혀 넘
어져도 좋다고 뒹구는 모습들. 슛을 날리려다 신발이 골키퍼의 얼굴
에 날아가 맞고 싸우는 모습.
공이 없는 곳에서 더욱 격렬한, 이건 축구라기보다 한 편의 격정 팬터

마임 같다.

인국   공 여깄잖아! 여기요! 아니, 공을 들지는 말고! 발로 차
               야지! 아니이이! 상대편 쪽으로 차야지!!

다시 볼 트래핑 훈련. 여전히 개판임에도 여전히 긍정적인 인국.
공으로 제기차기를 하다가 공은 날아가든지 말든지 택견 흉내 내고
자지러지는 아저씨들. 일련의 모습들이 어지러이 찍힌 화면이 툭 하
고 꺼진다.
다시 사무실.
리모컨으로 TV를 끄고 잠시 넋 빠진 홍대를 향해 돌아서는 소민.

소민   지금 보신 화면은 축구를 하는 건지 택견을 하는 건지
               잘 모르실 수 있겠지만 축구하는 거 맞고요. 두 분은 2
               개월 후 브라질에서 열릴 홈리스 월드컵에 첫 출전하
               게 될… 대한민국 국가대표팀을 보신 거죠.
홍대   아… 국가를… 대표하시는 분들이구나….
김 대표   드라마가 느껴지지? 니가 언제 또 국가대표팀 감독을
               해보겠니?
소민   고맙습니다. 사회적 소외계층의 재활을 다룬 의미 있
               는 기획임에도 제작이 무산될 위기였는데 호락 씨가
               재능기부를 해주신다기에….
홍대   아, 누가 재능을 기부해? 재능 없어서 축구 관둔다잖아.

김 대표   그래, 관둬. 관두고 연예계 진출하자고. 넌 얼굴이 재능이잖아. 선행 한 번 하고 선수 생활 착실하게 해서 이번 시즌만 끝내. 그렇게 이미지 만들고 은퇴. 너 이 바닥에서 가능성 있어.

홍대   그냥 저기다 얼마 기부를 할게, 그냥!

김 대표   너 돈 없잖아.

소민   아, 돈이 없으세요?

김 대표   너도 느끼잖아. 내 말 들어야 하는 거. 지금 너한테 필요한 건 신파야.

홍대   (스트레스) 내가 무슨 생각을 한 거냐… 됐다… 됐어.

김 대표   이미지만 만들어 와. 형이 계약금 바로 쏜다.

벌떡 일어서 문으로 향하는 홍대.
당황하는 소민과 다르게 여유 있는 김 대표.

홍대   (다시 저벅저벅 걸음을 옮기며) 안 해~ 안 해!

김 대표   (초조해하는 소민에게) 으응, 괜찮아. 안 해~ 안 해 하면서도 하는 게 약자의 인생이야. 잘 알잖아?

홍대   몰라, 쌍!

홍대, 벌컥 문을 열면.

호루라기 소리와 함께 풋살 경기장 문이 활짝 열린다. 고속.
홍대가 구원투수 등장하듯 가볍게 뛰어 경기장 안으로 들어온다.
환동, 범수, 효봉, 영진, 문수 등 홈리스 축구단 멤버들이 환하게 웃으
며 한곳으로 모인다. 이들은 굉장히 어색한 연기를 하고 있는 듯 보
인다.

인국   (호루라기를 내려놓으며) 이제부터 우리의 훈련을 도와 월
       드컵에 함께 출전하게 될 윤홍대 감독님을 소개합니
       다!!

어색하게 박수 치며 환호하는 홈리스 멤버들.
친절한 미소로 손까지 흔들어주며 뛰어오는 홍대.
더욱 커지는 멤버들의 환호성.

홍대   (연기 못함) 안녕하세요, 여러분. 저는 오늘부터 여러분과
       함께… (돌변) 와… 씨… 못 하겠다. 무슨 국가보훈처 홍
       보 영상도 아니고….

순간 분위기 깨지고. 보면, 카메라맨 옆에서 친절한 미소로 웃고 있는.

소민	컷. 컷컷. 호호. 그래요. 조금 어색했죠. 다시 한번 갈게요.
홍대	뭘 다시 가? 뭔 다큐멘터리에 대사가 있어?
소민	반전도 있답니다. 호호. 자, 각자 다들 위치로 돌아가주세요~.
인국	자, 형님들! 피디님 시키는 대로 해주십시오!
홍대	와… 개사기 치면서 웃지나 말든가. 뭐하는 거야, 이게!!
소민	(미소 잃지 않으며 바라보다) 잠깐 얘기 좀 하죠.

가소롭다는 듯 소민을 따라가는 홍대.

이내 걸음을 멈추고 돌아보는 소민. 친절하던 미소가 순간 사라지더니, 우악스럽게 어금니를 물고 주먹을 날리려 한다.

순간 쫄아 얼굴을 막는 홍대. 휘둥그레진 눈으로 소민을 보면, 다시 평정을 찾은.

소민   나이 먹으니까 근육이 약해져서 오래 웃기도 힘들다…. 내가 동생이니까 말 편하게 할게.

홍대   …!! 동생인데 말을 놓는 게 뭐야?!

소민   너도 놔, 그럼.

홍대   아… 그래, 그럼. (뭔가 이상한데…) 그게 뭐야, 인마!!

소민   오빠.

홍대   아… 그래, 그럼.

소민   오빠나 나나 지금 필요한 게 뭐야? 이미지. 그거 어디서 나와? 감동과 눈물. 그건 어떻게 만들어져? 내러티브. 이거 기한 정해져 있어. 다다음 달 월드컵까지 자연산으로 찍어서 우리가 원하는 게 나올 거 같아?

홍대   뭐야… 너 정체가 뭐야?

소민   정체? 정체 따위…? 학자금 대출 갚느라 인생이 정체

된 인간이다!

홍대　　….

소민　　(다시 침착) 후… 내 주위를 스쳐간 그 누군가가 말했지. 우리네 화려한 인생은 일막의 쇼와 같다고.

홍대　　….

소민　　쇼? 끝은 없는 거야. 내가 만들어가는 거야. 멋지지. 근데 쇼하고 자빠지잖아? 그건 우스운 거야. 자빠지지 않으려면 어떻게 해야 할까? 전문가 말을 들어야 손실을 줄이겠지?

홍대　　전문가가 너야?

소민　　알면서 하는 질문은 여기까지만 받는다. 어, 나야.

홍대　　아….

소민　　자, 웃어. 호호호~ 호락 오빠 웃어. 웃으라고. (씨익─)

홍대　　…혹시 미친년이세요? 정상이 아니야.

소민　　(홍대를 지나쳐 가며) 미친 세상에서 미친년으로 살면 그게 정상 아니야?

홍대　　… (뭐지…? 따라가며) … 뭐지…. 틀린 말이 하나도 없어, 젠장!

팀원들이 편안하게 모여 앉아 있고, 홍대가 그들 앞에 서서 강연 엇비슷한 걸 하고 있다.

홍대   (굉장히 가식적) 여러분들 뛰는 모습 보니까 절망하고 있던 지금까지의 저 자신이 참으로 부끄럽게 느껴졌고요, 지금! 이 가슴이 다시 뛰고 싶다 말하는 것만 같습니다!

와ㅡ. 팀원들의 박수.
그 모습을 카메라로 담고 있던 소민과 눈이 마주치는 홍대.
속물 동족끼리 서로 비웃곤 있지만 어떤 묘한 연대가 느껴진다.

소민   자, 바로 국가대표 선발전 들어갈게요! 국장님 플래카드 걸어주세요!

CUT TO
'홈리스 축구단 국가대표 선발전' 플래카드가 그럴싸하게 걸려 있다.

자막 – 주력 테스트 50미터 달리기

작은 경기장인 탓에 사선으로 출발점과 도착점을 만들어 한 명씩 전력 질주를 하고 있다.

얼굴은 전력이지만 속도를 보자면 리어카를 끌고 가는 듯 보인다.

인국이 초시계로 기록을 불러주고 홍대가 유심히 관찰하는 연기를 하고 있다.

소민   (V.O) 선발전은 형식적인 거고. 불쌍한 사연이 선발 기준이야. 그래야 드라마가 되지. 고민하는 척하다가 이 사람들을 최종 호명하면 돼.

"탕—!!" 인국이 입으로 내는 소리와 동시에 달리기 시작하는 환동.

최고 연장자로서 의지와는 다르게 몸이 무겁다. 좀비 같기도….

소민   (V.O) 김환동. 나이 55세. 잘나가는 중소기업 사장님 시절에 주색에 빠져서 가정도 버렸는데, IMF 때 회사가 부도 났어. 아줌마들이 좋아하는 막장 드라마지.

사력을 다해 골인하는 환동.

인국   14초 87!!

홍대   (혼잣말…) 50미터가 14초…. 휴게소 들렀다 오셨나….

그거 달리고 숨넘어가려고 하는 환동을 신기하게 쳐다보는 홍대.

자막 – 드리블 테스트

드림 DREAM

세 명이 한 조로 경기장 끝에서 끝까지 볼을 드리블하며 달린다.

물론 엉망이다.

범수가 볼을 옆으로 차는 바람에 옆 사람의 볼을 맞히고,

서로 엉켜 뒤죽박죽된다.

신중하게 체크하는 연기를 하고 있는 홍대의 메모장을 보면,

말도 안 되는 낙서들….

소민   (V.O) 손범수. 나이 44세. 과거는 별거 없는데 엄청 사랑
하는 아줌마가 있고, 그 아줌마에게 지적장애가 있다
는 거지. 이건 가난과 장애를 넘어선 멜로드라마.

자막 – 볼트래핑 테스트

굉장히 의욕 없는 표정으로 멀리 공을 차주는 홍대.

공을 보며 달려오다 넘어지는가 하면 공을 밟아 자빠지는 등….

이제 효봉의 차례.

홍대가 높게 차준 공을 보고 의욕적으로 달려가는데….

강도 높은 헛발질에 그대로 뒹굴지만 아무 일 없었다는 듯 박수치며
일어선다.

소민   (V.O) 전효봉. 44세. 전처하고 사이에 초등학생 딸이 있
는데. 애 엄마가 호주 사람하고 재혼하면서 얼마 후에
애까지 호주로 이민 가게 됐어. 예견된 이별. 가족 신파

드라마.

자막 – 슈팅 테스트

인국이 형식적인 골키퍼 역할.
차례로 슈팅을 날리는데 인국이 별로 할 일이 없을 만큼 똥볼을 차는
멤버들.
하지만 달리기를 못 하던 환동이 의외로 정확한 슈팅을 한다.
나름 건장한 문수 차례.

소민	(V.O) 전문수. 39세. 자기 말로는 조폭 출신. 쫓기는 처지라 노숙자 코스프레 하는 거라고 우기는데. 이 인물은 감초 역할이야. 인격에 반전이 있거든.
문수	얼레벌레하지 말고 뽈 똑바로 야리쇼. 인사이드로 감아차벌랑게. (공 앞의 메뚜기를 보곤 급 소녀 감성) …일곱 살 때였나…? 어머니께 축구공 좀 사달라고 졸라댔지만 어머니는 축구가 싫다고 하셨어….
범수	야, 뽈 차, 인마!!
문수	공이 없어 발이 심심하던 나는 친구들에게 발길질을 하기 시작했지…. 폭력의 시작이었어….
범수	알았으니까 뽈 차, 인마!!!

홍대의 헛웃음….

시간 경과. 경기장 구석의 파라솔. 팀원들은 반대쪽에서 휴식 중. 팀원들 명단을 펼쳐놓고 오버하며 웃는 소민을 대수롭지 않게 바라보는 홍대.

소민   와하하하하~~!!! 으아~~ 우리 드라마엔 다 있어! (홍대 가리키며) 싸가지 없고 멍청한 막내 캐릭터까지! 으아~~!!

홍대   약은 제때 먹냐?

소민   약값이 없어서 이렇게 됐지. 자, 나머지 한 명은 감독 권한으로 오빠가 뽑아. 그럼 됐지?

홍대   (미친년…) 응, 고마워.

소민   근데 내 생각엔 (어느 쪽을 가리키며) 저분 어떨까?

그늘막에 앉아 멀거니 풍경을 즐기고 있는 영진이 보인다.

소민   무슨 사연인지 말은 안 하는데… 낙천적이라는 게 아 이러니하면서 재밌더라고.

인서트. 영진의 인터뷰

영진   집이 있다고 해서 겨울에 따뜻하고 여름에 시원하고 그런 건 아니니까…. (사이) 아, 저는 뭐… 져도 상관없어요. 어차피 이겨본 적이 없어서…. 이기는 기분이 뭔지 모르면 지는 것도 별거 아닌 거지.

표정 없는 홍대. 내려놓음.

소민   그리고 피지컬이 제일 좋잖아. 뭐 그냥 의견이야. 의견.
        헤헤.
홍대   그래, 의견 고마워.

그때 홍대의 전화벨이 울린다. 발신자는 뜨지 않지만 누군지 아는 듯
한 홍대의 표정.

시장 골목 / 밤

다소 을씨년스러운 분위기의 인적 드문 시장 골목 안.

사주경계하며 어딘가로 걷는 홍대, 반대쪽 골목에서 스카프로 얼굴을 가린 중년 여인과 눈으로 신호를 주고받는다. 중년 여인은 홍대의 엄마 '선자'다.

자연스러운 동선으로 약간 거리를 두고 나란히 걷는 홍대와 선자.

선자   엄마가 니 걱정에 밥도 못 먹는다….

홍대   살이 올랐구만, 무슨…. 도망자 주제에 뭘 먹고 다니는 거야?

선자   티 나? 빈속에 도망 다니기가 얼마나 힘든지 아니?

홍대   거 농담 재미없고. 왜 보자 그랬어?

선자   (심각) 너, 축구 그만두고 연예인 한다는 게… 그게 뭔 소리야?

홍대   계약 안 했고, 돈 없어.

선자   아, 눈치 겁나 빨라.

홍대   제발 좀…. 뻔뻔한 거 좀 작작 좀 하자!

선자   엄마한테 화내지 마. 무서워.

홍대   엄마가 더 무서워! 사업한다고 내 돈 다 날렸지! 곗돈 사기 치고 2년 수배 생활하면서 엄마라고 한 게 뭔데?!

선자	한 게 왜 없어! 너가 그래도 이만큼 사는 게 내가 다 기도해서 그런 거야!!
홍대	엄마 무교잖아!!
선자	성당 다닌 지 두 달 됐어.

순간 버려진 거울에 비친 사내를 발견한 홍대, 걸음이 빨라진다.

홍대	꼬리 붙었어. 내가 막을 테니까, 빨리 튀어. (여유 있는 선자) 뭐해?
선자	성당 같이 다니는 아저씨야.
홍대	!!! …이 상황에서도 남자질이야!!
선자	좋은 사람이야. 믿음도 강하고, 무엇보다… 잘 숨겨줘.
홍대	(부글부글…)
선자	(핸드백을 뒤지며) 너 요즘 힘든 거 다 알아. 미안해…. (명함 하나 건네며) 아저씨 명함이야. 계약하면 연락해. 알았지, 아들? 기도할게.

홍대의 볼에 뽀뽀를 하곤 뒤의 사내에게 고개로 신호를 보내고 골목으로 방향을 꺾는 선자.
사내도 같은 호흡으로 뒤쪽 골목으로 사라진다.
어여 가라며 홍대에게 손짓하는 선자의 모습을 망연하게 바라보는 홍대.

문을 열고 들어오는 홍대. 손엔 소주 두 병 담긴 봉투. 적막하고 쓸쓸
한 기운이 몰려온다.

15평 남짓. 세간이 별로 없는 휑~한 오피스텔. 하지만 나름 리버 뷰.

시간의 흐름…. 창가에 걸터앉아 쓸쓸히 땅콩에 소주를 비우는 홍대.
깊은 한숨….

출근 시간. 꽉 막힌 도로.

운전하는 병삼(카메라맨)과 파일을 넘겨보고 있는 조수석의 소민.

뒷좌석의 홍대는 나른한 하품을 연신 뿜어대고 있다.

소민   어제 범수 아저씨가 대표팀 안 하겠다고 나갔어.

홍대   사연 좋더만. 잡지 그랬어?

인서트. 풋살 경기장. 인국의 인터뷰

인국   우린 강요하지 않아요. 자발적으로 하지 않으면 아무

        의미 없거든요.

소민   설득해서 다시 데리고 오는 것까지 오늘의 할 일.

홍대   대본 줘.

소민   애드리브로 해봐. 잘하더만.

홍대   (짜증)

내레이션 테스트 녹음하며 열심히 편집 중인 소민의 모습.
모니터 화면에 범수의 과거 재연 씬이 보인다.

소민   아. 아. 내레이션 테스트. 내레이션 테스트.
       범수 씨는 태어날 때부터 집이 없었다고 해요.

a. 공사장. 낮

열심히 막일을 하는 범수의 젊은 시절 모습.
<인간극장> 같은 내레이션을 펼치는 소민.

소민   (V.O) 친척 집을 전전하다가 열일곱 살 때 공사장 일을 시작했죠. 작은 전셋집 하나 얻는 게 꿈이었어요. 차츰 차츰 돈이 모이던 어느 날.

4층 높이에서 쇠말뚝을 박고 있던 범수를 덮치기 직전의 구조물.
사람들 모두 뛰어오며 소리 지르자 그제야 돌아보는 범수. 화들짝 놀라 몸을 던졌으나 아래로 떨어지고 만다.

b. 서울역 거리. 밤

절뚝거리며 하염없이 거리를 거니는 범수의 모습이 차츰 현재의 모습으로 변한다.

소민   (V.O) 건설 회사에서 일용직 노동자에게 보상해준 돈은 당장의 병원비가 전부였어요. 범수 씨가 모아놓았던 얼마 되지 않는 돈은 후유증으로 인한 치료비로 금세 바닥이 났고. 성치 않은 몸을 보며 희망을 놓아버렸죠.

그게 만성이 되자 범수 씨는 자연스레 거리로 나오게
됐어요.

c. 지하도. 밤

박스를 덮고 잠을 자고 있는 범수의 코 고는 소리가 크다.
만취 상태로 지나가던 20대 양아치들, 그 소리가 거슬린다.

양아   씨바… 시끄러운 세상을 바로잡자….

갑자기 자고 있는 범수를 무섭게 짓밟는 양아치 1.
기다렸다는 듯 달려가 무차별적으로 범수를 폭행하는 양아치들.

소민   (V.O) 노숙인을 상대로 한 이런 말도 안 되는 폭력은, 아
           직도 비일비재하다고 하네요.

d. 다음 날. 밤

반쯤 남은 소주를 얼굴의 상처에 붓는 범수. 귀에서 흐른 핏자국.
시간의 흐름. 잔뜩 웅크리고 누워 끙끙 앓고 있는 범수.

소민   (V.O) 심한 열병을 앓으며… 그때 범수 씨는 잠이 들어
           깨지 않길 바랐어요. 세상에 자그마한 미련 하나 남아
           있는 것이 없었으니까요. 그때….

스르르— 추위 속에서 잠이 들어가던 때.

슬그머니 다가와 범수의 머리를 무릎에 괴어주며 앉는 누군가.

힘없이 눈을 떠 보면, 진주(정신지체 노숙인. 40세. 여)의 얼굴이 보인다.

진주   피… 코 피… 귀 피… 아파….

주머니에 있던 안티프라민을 꺼내 범수의 귀에 발라주는 진주. 양이
좀 과하다….

소민   (V.O) 처음이었어요… 자신을 아프지 않게 해주는 사람.

e. 공원. 낮

한적한 공원 벤치에 멍하니 앉아 햇빛을 쬐고 있는 진주.

슬그머니 다가와 옆으로 앉는 범수.

양손에 품고 있던 도시락을 꺼내 포장을 뜯고 진주에게 건넨다.

일회용 포크, 숟가락까지 손에 쥐여주며.

가만히 도시락을 먹기 시작하는 진주를 기분 좋게 바라보다 자기 숟
가락을 들고 함께 먹으려는 범수.

하지만 스윽— 하고 도시락을 방어하는 진주.

헤헤헤. 재밌게 웃다가 다시 시도하는 범수.

스윽— 돌아앉아 밥을 먹는 진주.

f. 고시원 앞. 낮

진주의 손을 잡고 고시원으로 들어가는 범수의 모습.

소민   (V.O) 범수 씨는 아직 쪽방을 전전하고 있지만 사랑하는
       진주 씨의 고시원비를 벌기 위해 하루도 빠짐없이 잡
       지를 팔고 있답니다.

출근 인파로 북적이는 가운데 <빅이슈> 잡지를 양손에 들고 판매 중인 범수가 보인다.
화면 멀어지면 옆에서 함께 판매를 돕고 있는 홍대.
"빅이슈"를 외치는 범수의 목소리가 지나는 사람들에겐 불쾌하리만치 크다.

홍대	아저씨, 목소리가 너무 커! 사람들이 무서워서 안 오잖아!
범수	아… (잠시 쉬려는 듯) 이상해…. 코치님 오고 나서… 장사가 안 돼….

지나는 사람들 보면, 홍대를 보곤 소곤소곤하며 그냥 지나친다.

범수	안 도와줘도 되는데…. 그냥 가면 안 돼?!
홍대	(에잇! 그만두려다 카메라 눈치 보고 범수의 옆에 쪼그려 앉는다) 왜… 열심히 하던 축구를 그만두려는 겁니까?
범수	열심히 안 했는데?
홍대	흠… 아, 아무튼! 힘들게 국가대표 됐잖아요.
범수	…안 힘들었는데?!
홍대	에이!! 거….

범수	아, 난 사실 몸도 안 좋고!
홍대	축구해서 많이 좋아졌다면서. 다 아는데, 내가.
범수	후… 진주 씨 고시원비가 2만 원 올랐어. 2만 원이면 이거 열 개 팔아야 되는데… 코치님이 없으면 그게 가능할 것 같아.
홍대	에이 진짜…. (카메라 눈치 보며 귓속말) 내가 2만 원 드릴게.
범수	(벌떡 일어나며) 내가 거진 줄 아나…! (다시 판매 개시) 빅이슈!! 3000원!!
홍대	(짜증 내며 일어나 성의 없이) 빅이슈! 빅….
범수	아니, 됐다고! 그냥 가라고!
홍대	아, 도와준다는 사람한테 민망하게 왜 그래요!
범수	열 개 팔고 싶어서 그래! 니가 없어야 그게 가능해!!
홍대	왜 소리를 질러요!!
범수	아, 귀가 안 들려서 그러잖아!!
홍대	다 듣는구만!!

대놓고 길거리에서 노숙자와 싸우는 홍대.
포기하듯 병삼에게 카메라를 내리라고 지시하는 소민,
길거리에서 <빅이슈> 판매원과 큰소리 내며 싸우고 있는 홍대를 한심하게 바라본다.

계란빵 노점 앞 / 낮

계란빵 하나씩 먹으며 포장 기다리고 있는 범수와 홍대.

범수   이게 사친데… 진주 씨가 계란이랑 빵을 엄청 좋아해. 그러니 계란빵은 얼마나 좋아하겠어? 환장한다고. 이 사람이 평소에 아무 말도 안 하는데… 이거 먹을 땐 한 마디해… 맛있다… 하고. 그 목소리 들으려고 내가 사치 부리는 거거든…

홍대   ….

범수   그런 사람 두고 일주일이나 내가 어떻게 거길 가나?

안 되겠는지 카메라를 접고 끼어드는 소민.

소민   아저씨 그럼… 아줌마랑 같이 계란빵 먹는 모습만 찍을게요. 인터뷰 조금 하고.

범수   에이, 말을 안 한다니까.

범수, 진주, 홍대. 나란히 앉아 있다.

범수가 진주에게 계란빵이 담긴 종이봉투를 건네자 또 슬쩍 돌아 혼자 먹으려고 하다가 빤히 홍대를 보는 진주.

힐끔힐끔 눈치를 보는 홍대. 무슨 말을 해야 할지 모르겠는데….

스윽— 계란빵 한 개를 홍대에게 건네는 진주. 그 모습에 입이 벌어지는 범수.

진주	축구 선수… 미남….
범수	!!!
진주	축구 선수… 좋아….
홍대	…하… 하….
범수	…!!

범수   패스해!!!!

연습 경기 중. 범수가 날아다니고 있다.
그 모습들을 병삼이 쫓아다니며 찍고 있다.
나란히 서서 오버하는 범수를 보고 있는 홍대, 인국, 소민.

인국   어떻게 한 거예요?
홍대   글쎄 뭐… 계란빵을 맛있게 먹었는데….

전반 종료. 홍대를 중심으로 모여 잔디에 주저앉는 선수들.
헛구역질하는 범수.

효봉   야, 너 혹시 죽으려고 그러는 거야?
인국   (범수에게 달려가 물을 주며) 아, 왜 이러는 거야?! 왜?! 무조
           건 안전! 자기 몸이 먼저! 아, 범수 아저씨 후반 뛰지 마
           세욧!
범수   (홍대를 의식하며) 할 수 있어!!
홍대   (범수 신경 안 씀. 환동에게) 환동 아저씨! 공격수가 왜 수비
           에 열중하지? 반칙까지 하면서?
환동   (헉헉) 그… 힘들어 보여서.

홍대	와… 같은 팀 힘들까 봐 반칙을 하셨구나. 신선한 접근 이네. 그리고 슛이 읽히잖아. 한 번 접고 차는 거 연습했잖아요.
환동	넵! 명심하겠습니다!
홍대	자, 전반 7분 뛰고 하프타임 1분밖에 안 돼요. (범수 가리키며) 저렇게 오버하시면 죽어요. 체력 안배하시고.

아직 헉헉―거리면서도 뛰어 들어가는 선수들.
선수들에게 의욕적으로 코칭해주는 홍대가 썩 맘에 드는 인국.

인국	감독님이 진지하게 해주시니까, 이제 모양새가 진짜 갖춰진 것 같네요. 하하하.
홍대	(혼잣말하듯) 대본 읽는 건데요, 뭐.
인국	네?

그 모습을 찍고 있던 소민, 속물 섞인 미소와 함께 엄지를 들어준다.
역시 속물 섞인 미소를 소민에게 날리며 가운뎃손가락을 슬쩍 올리는 홍대.
그러자 엄지를 중지로 바꾸는 소민. 서로 그러거나 말거나.
다시 경기가 시작되고, 보잘것없는 플레이들. 여전히 의미 없는 의욕이 넘치는 범수.
가만히 팔짱 끼고 별 의지 없이 바라보고 있는 홍대.

인국   범수 아저씨, 살살하라니까욧!!

숫을 날리려는 환동에게 소리 지르며 달려가는 범수.
어설픈 점프를 하더니만 태클을 날리는데…. "으악—!" 몸이 반쯤 날
아올랐다 툭— 떨어지는 환동. "으아아악!!" 발목을 잡고 뒹굴기 시작
한다. 그제야 정신이 드는지 어리벙벙한 범수.

인국   (달려가며) 환동 아저씨!!!!

18   병실 앞 / 낮

병실 입구 앞 의자에 나란히 앉아 있는 범수와 효봉.
깊은 좌절에 빠져 있는 범수를 위로하려는.

효봉   (어깨를 토닥이며) 괜찮아. 니 잘못 아니야.
범수   그럼 누구 잘못이야…?
효봉   … (그러게…) … 아… 니 잘못인가….

더욱 좌절하는 범수. 그 모습을 찍고 있는 병삼.

이동침대에 누워 손으로 이마를 덮고 있는 환동.
걱정스레 그를 내려다보고 있는 인국. 연기하는 홍대.

홍대   그나마 골대 안으로 찰 수 있는 유일한 선순데.

그만 좀 찍으라는 듯 눈빛으로 소민을 갈군 후 돌아서는 홍대.
그때, 홍대의 손을 덥석 잡는 환동. 옅은 한숨을 내뱉는다.

환동   내… 한 달 안에 이 뼈 다시 붙여놓을게. 살짝 금 간 거
            다. 떨구지 마라….
홍대   뼈가 붙어도 바로 뛸 수 있는 게 아니에요.
인국   내년에 또 기회가 있으니까….
환동   늙은 놈이 내년 보고 사나? 나 300만 원 거의 다 모았
            다. 그럼 임대 아파트 지원해주는 거 아이가?
인국   그거랑 무슨….
환동   딸래미가 아를 낳았다대. 근데… 손년지 손잔지도 모
            른다. 애엄마고 딸래미고 나 안 볼라카는 거는 당연한
            기다….

a. 과거 환동의 고급 주택 앞. 밤

검은 다이너스티가 들어서고 뒷좌석에서 내리는 젊은 환동.
취했는지 기사의 부축을 받으며 들어간다.

환동   (V.O) 왕성할 때 돈이 차고 넘치다 보니까네 내 식솔은
      뵈질 않는기라. 그기 그래도 되는기라 생각했다. 돈 벌
      어다 주지 않드나?

b. 환동의 집 안. 밤

무섭게 흥분한 채 아내의 뺨을 후려치는 환동. 힘없이 쓰러져 눈물을
흘리는 아내.
과거의 환동은 현재의 부처님 상과는 180도 다른 포악한 사내다.

환동   어디 집구석 일하는 여편네가 할 말 다 할라케쌌노!

방 문틈 사이로 벌벌 떨며 그런 아버지를 훔쳐보고 있는 일곱 살쯤
돼 보이는 딸.

c. 룸살롱. 밤

예닐곱 명의 술집 여자들과 껄껄대고 웃으며 술을 비우는 환동의 모습.

환동   (V.O) 밖으로 나가믄 그른 기 또 그리 눈에 들어오대. 사
                    람이 무서분 게 없어지믄 죄 먼저 짓는기라.

d. 호텔 방. 밤

야한 슬립을 걸치고 있는 여자, 거울 앞에서 다이아 목걸이를 하고 환
하게 웃으며 돌아본다. 샤워 가운 차림으로 지나던 환동에게 꺄— 좋
다고 안기는 여자.

e. IMF 관련 기사들

f. 공장 앞. 낮

간판이 쓰러져가는 공장. 경찰에게 연행되고 있는 환동의 모습.

환동   (V.O) 사업을 벌여놓은 기 아이라, 죄를 벌여놓은 기재.

g. 거리. 낮

노숙자 몰골의 환동. 식당 앞 빈 소주병들을 꺼내 남은 소주를 한곳에
옮겨 담는다.
보다 못한 식당 아줌마가 나와 반쯤 남은 소주를 건네주곤 가라며 핀
잔을 준다.

환동   (V.O) 밖으로 나왔을 땐 아무것도 없드라…. 술만 빌어
                    먹으면서 5년을 보냈다….

h. 거리. 낮

비틀비틀 걸어가는 환동의 뒷모습. 결국 주저앉듯 쓰러지고 만다.

i. 재활센터 병실 안. 낮

초췌한 몰골로 누워 있는 환동 앞에 아내가 앉아 있다.
환동은 눈도 마주치지 못한다.

아내   현주, 이제 사춘기인기라. 더러븐 꼴 보여서 서로 뭐 좋
         겠노? 내 여기 온 거 알믄 현주가 난리를 칠긴데… 이
         말 하러 왔다. 죽을래도 혼자 조용히 죽어라. 이래 소식
         닿게 하지 말고. 알긋나?

그대로 일어서 나가는 아내.
그저 천장만 바라보다 눈물을 흘리는 환동.

홍대의 손을 더욱 꼭 잡는 환동.

환동   그날 이후로 술 한 모금 안 마셨다. 손이 떨려가 일을
         못 해도 안 마셨다. (소민 가리키며) 저래 방송도 나가는
         데… 보여줘야 안 하나? 용서까지도 안 바래고… 이제
         축구도 할 만큼 건강하다고, 이제 마 안 드럽게 산다고,
         그럼 손주 새끼 한 번 정도는 안아보게 해주지 않겠나?
         나 떨구지 마라….

뭐라 대꾸를 하지 못하고 선 홍대와 인국.

과일 도매촌 사이 허름한 건물 2층 창문에 낡은 <빅이슈> 코팅지가
보인다.

직원 두 명이 나른하게 업무를 보고 있다.
창가 쪽 회의 테이블에 모여 앉은 홍대와 소민, 인국의 모습을 찍는
병삼.

인국   안 됩니다. 다치지 않는 게 우선이에요.

소민   저렇게 간절하신데, 살살 뛰면 되죠. (홍대에게 눈치 주면)

홍대   (어이없이 웃으며) 살살 뛰면 더 다쳐. 축구를 너무 몰라서.

소민   (어금니 물고 웃으며) 몰라서 모셨죠~ 호락 코치님.

홍대   (쌍년…) 아, 골대 안으로 볼 찰 수 있는 선수가 없어요.
         이왕 대회 나가는 거 이기면 좋잖아.

소민   좋은 게 아니라 무조건 이겨야지.

인국   사실… 잘 나오진 않는데… 볼은 잘 차는 녀석이 하나
         있긴 하거든요.

소민   (급관심) 어린가 보네? 사연이 뭔데요? 노숙자 된 사연.

인국   그… (난처) 마음이 좀 아픈 애라서….

소민   (오, 당기는데?) 왜? 뭔데요?

20대 중반쯤 돼 보이는 인선. 계단 중간에 자리 잡고서 <빅이슈> 잡지를 양손에 들고 있다. 앞머리가 눈을 가리고 있고, 고개까지 숙여 시선은 늘 땅바닥.

아무 말도 하지 않고 쭈뼛쭈뼛. 그 옆에 서서 "빅이슈"를 외치고 있는 홍대.

홍대	빅이슈! 빅이슈 3000원! (인선을 슬쩍 살피고) 거 원래 사람을 곁눈질로 보나?
인선	(역시 쳐다보지 못하고) 아… 죄송해요….
홍대	빅이슈! …거 원래 그렇게 입 다물고 장사하나?
인선	(쭈뼛쭈뼛) 이상해요….
홍대	뭐가?
인선	형 오고 나서… 장사가 안 돼요…. 이상해요….
홍대	….

CUT TO

홍대와 인선, 계단에 쪼그려 앉아 두유를 먹고 있다.

소민은 인선 옆에 앉아 촬영 중.

인선	아… 죄송해요…. 그랬구나…. 환동 아저씨 다쳤구

나…. 나 때문에….

홍대   아니, 그건 아니고, 어쨌든 환동 아저씨 대신해서….

인선   나갈게요.

의외로 쉬운 대답에 살짝 어리둥절한 홍대와 소민.

인선   죄송해요…. 제가 이번엔 빠지지 않고 나가서… 이번

                엔 최선을 다해서….

홍대   하하하. 와~ 안 불렀으면 큰일 날 뻔했네!

인선   크로스….

시선을 땅에 두고 극소심하게 팔을 뻗어 크로스하는 인선.

다소 어울리지 않는 행동이 갸우뚱하긴 하나 어쨌든 힘차게 크로스
해주는 홍대.

일이 싱겁게 끝났다는 듯 카메라를 접는 소민, 문득 인선의 가방 안에
서 뭔가를 발견한다.

슬쩍 꺼내 보면 실종자를 찾는 전단지로 보인다.

급히 전단지를 빼앗아 가방에 넣곤 일어서는 인선.

꾸벅 인사하고 잰걸음으로 돌아서 간다.

드리블 연습을 하고 있는 선수들.

훈련이라기보다 카메라를 든 병삼이 하라는 대로 연출 컷을 만들고 있다.

팔짱을 끼고 그들을 바라보고 있던 홍대. 슬쩍 시계를 본다.

옆에 있던 인국과 소민도 시계를 본다.

인국   맨날 온다 그러고 안 와요.

홍대   (소민을 보며) 내가 요즘 순진한 척하는 사람들한테 많이 속아.

소민   걔, 무슨 사람을 찾고 있는 것 같던데….

인국   아… 쯧… 그게….

a. 다세대주택가. 낮

두 대의 구급차가 철제문이 활짝 열린 어느 집 앞에 대기 중이다.

어수선하게 몰려든 동네 주민들의 호들갑이 시끄럽다.

이내 들것을 들고 다급히 뛰어나오는 구급대원들.

들것엔 일곱 살 인선이 의식을 잃은 채 누워 있고, 뒤따라 나오는 이동 침대는 하얀 천으로 덮여 있다. 인선을 실은 구급차가 요란한 소리를 내며 출발한다.

인국   (V.O) 겨우 일곱 살 때… 부모가 약을 먹이고 동반자살을 했는데… 이 어린놈이 글쎄… 혼자 살아남은 거예요…. 당시엔 뉴스에도 크게 나오고 그랬다는데….

b. 고아원 마당. 낮

건물의 외진 곳. 덩치가 조금씩 큰 녀석들에게 몰매를 맞고 있는 어린 인선.

그때, 원장에게 빨리 오라 손짓하며 달려오는 어린 경진.

빗자루를 들고 온 원장이 현장을 목격하고 소리를 지르자 달아나는 녀석들.

원장은 녀석들을 쫓고, 인선은 주저앉은 채 먼지를 툭툭— 털고 있다.

인국   (V.O) 한동안 실어증으로 말도 못 하는지라 어디서건 힘
                들게 지냈는데… 시설에서 다행히 좋은 짝을 만나서…
                서서히 말도 하고… 학교도 가고….

고개를 푹 숙이고 있는 인선 옆에 쪼그려 앉는 경진.
앞머리에 가려 인선의 눈이 제대로 보이지 않자, 자신의 머리핀을 떼서
인선의 앞머리를 넘겨 고정시켜준다. 자세히 보니 예쁜 인선의 얼굴.
품— 재밌게 웃는 경진. 그런 경진을 멀뚱히 바라보는 인선.

c. 시골길. 낮
너른 들판 길. 낡은 자전거에 고등학생 경진을 태우고 달리는 교복 차
림의 인선.
시원하게 바람을 맞으며 기분 좋게 웃는 경진.
소심하게 경진의 눈치를 보다가 주머니에서 뭔가를 꺼내 건네는 인선.
보면, 하트 모양 머리핀이다. 피식— 웃더니 머리에 핀을 꽂는 경진.
편안한 미소를 지으며 인선의 등에 얼굴을 묻는다.

d. 옥탑방. 낮
낡은 집을 수리하느라 정신이 없는 인선과 경진. 하지만 행복하다.

인국   (V.O) 세상에 두 사람뿐이었지만 그거면 충분했을 거예
                요….

e. 공장 앞. 황혼

퇴근하는 공장 직원들 사이에 피곤한 모습의 경진이 보인다.

그녀를 기다리고 있던 인선을 발견하자 언제 피곤했냐는 듯 밝아지는 경진.

달려가 인선의 자전거에 올라탄다. 인선을 꼭 끌어안는 경진.

f. 떡볶이 노점. 밤

오뎅 국물에 떡볶이를 먹고 있는 인선과 경진.

소심하게 경진의 눈치를 보던 인선, 주머니에서 뭔가 꺼내 슬쩍 건넨다.

경진, 보면 통장이다. 기분 좋은 미소로 펼쳐 본다.

경진	오와~ 우리 부자다~.
인선	중고로 용달차 한 대 사자…. 같이 장사하면 안 떨어져 있어도 되잖아…. 공장 나가지 마….
경진	…응. 보너스 달까지만 나갈게. 알았지?
인선	(기분 좋은) 응.

g. 야영지. 밤

천둥과 함께 무섭게 몰아치는 폭우. 야영지 옆 도로를 미친 듯이 달려가고 있는 인선.

카메라 팬 하며 멀어지면 119 구조대가 설치해놓은 바리케이드 앞에서 발을 동동 구르고 있는 공장 직원들. 몇몇 구조된 사람들은 응급처치를 받고 있지만 아직 구조되지 않은 사람들이 있다. 여직원들은 비

명에 가까운 소리를 지르며 울고 있다. 정신이 멀게지는 인선,
사람들 사이를 뚫고 바리케이드를 넘으려 시도하지만 구조대원들에
게 잡힌다.
악을 지르며 저항하는 인선을 힘겹게 뜯어말리는 구조대원들. 더욱
거세지는 물살.
미친 듯이 절규하는 인선의 모습….

인국   (V.O) 마지막 보너스 달에 공장 야유회가 있었는데… 시
             체를 찾지 못해서….

구겨진 실종 전단지를 애써 펴고 있는 인선.

인국   (V.O) 살아 있을 거라고 생각하는 거예요.

구겨진 전단지 몇 장을 들고 와 인선을 몰아세우고 있는 공익 1, 2.

공익 1   봐주는 사람 입장을 이렇게 몰라주면 어떡해…. (전단지
            박박 찢으며) 붙이지 말라고 몇 번 말해?!!
인선   (괴로운 듯 떨리는 손으로 말린다) 어… 어… 안 되는데….
공익 1   마지막이다. 공익이 마지막이라고 하면 그건 진짜 무
            서운 거야. 알아?

획─ 돌아서 가는 공익들. 쪼그려 앉아 찢긴 전단지 조각들을 주워 모
으는 인선.
그 모습을 계단 위쪽에서 씁쓸하게 바라보고 있는 홍대와 소민.
뭔가 열이 오르는지 화난 걸음으로 인선에게 다가가는 홍대.
아차─ 카메라도 안 켜고 있었던 소민, 카메라를 켠다.
홍대는 쪼그려 앉아 함께 파지를 줍는다. 불안하게 떠는 인선의 모습
이 보기 싫다.

홍대	어이, 김인선.
인선	(앞에 사람이 있는지도 모르는 것만 같다)
홍대	김인선! 나 봐봐. 나 보라고!
인선	(눈은 마주치지 못하지만 슬쩍 고개를 든다)
홍대	그럼 저기 봐봐. 저기 카메라 보이지? 우리 축구 연습하는 거, 월드컵 나가서 경기 뛰는 거, 저걸로 다 찍어서 전국에 방송 나갈 거야. 너부터 알려줘야지. 여기 이렇게 찾고 있다고, 기다리고 있다고!

홍대의 말에 떨리던 손이 멈추는 인선…. 슬며시 고개를 들어 소민의 카메라를 본다.
소민, 이번만큼은 하나 건졌다는 생각보다 어쩐지 미안한 마음이 인다. 홍대도 마찬가지.

2002 월드컵 티셔츠를 입고 온 인선을 둘러싸고 반기는 팀원들.
수줍게 고개 숙이고 하나하나 크로스를 하려고 하는 인선.

범수   야, 이발 좀 해, 인마!
인선   크로스….
효봉   이제 우리 공격수 생겼네! 크로스!

우울증이 왔는지 크로스하려는 인선을 슬프게 안아주는 문수.
하하하. 기분 좋게 웃으며 인선의 어깨를 도닥여주는 인국과 좋다고
박수 치는 영진.
그때, 경기장 문이 끼이익 — 열리고, 목발을 짚은 환동이 웃으며 들어
온다.
아이들처럼 좋아하는 팀원들.

효봉   (달려가며) 형님!
인국   (걱정) 아, 왜 나오셨어?!
환동   구경만 할게, 구경만.
범수   다 왔네! 다 왔어, 우리 팀!

환동을 슬프게 안아주는 문수.

CUT TO

홍대   선착순 두 명!!

하고 호루라기를 불면 팀원들 동시에 볼을 드리블하며 라바콘 주위
를 지그재그로 달리기 시작하는데, 범수는 맘처럼 되질 않자 소리만
지르다 아무 데나 뻥 차버리고,
효봉은 굉장히 느리지만 거북이처럼 착실히 수행하며,
문수는 어설프게나마 달리다가 문득 멈춰서 잔디를 들여다보고….
영진과 인선의 경쟁에서 인선이 압도적으로 빠르게 통과한다.
…패스 훈련. 2인 1조로 패스를 하고 있지만 제멋대로 굴러가는 공을
줍기 바쁘다.
…몸싸움 훈련. 역시 2인 1조로 등을 맞대고 밀며 버티기 훈련.
문수와 영진, 인선과 인국, 효봉에게 끝없이 밀려 나가는 범수.

범수   같이 밀어야지, 같이…. 에유….

…골키퍼 없는 골대에 로테이션으로 돌아가며 슛을 쏘고 있다.
영진이 비교적 잘 찼지만 골대를 맞고 튕겨 나온다. 범수는 늘 그랬듯
의기 넘치는 똥볼.

홍대   아니, 뭐 일부러 이러는 거야? 아, 그럼 살살 차봐요,
            살살.

범수, 질투의 대상인 홍대를 흘겨보더니 들은 척을 하지 않는다.
효봉, 너무 살살 차서 공이 골대까지 가지 않는다.

홍대   아, 진짜 굴리면 어떡해! 차야지! (속 터짐) 와~~ 이거 진
       짜 일부러 이러는 거 같은데?!!

다음 차례 인선. 그리 강슛은 아니지만 골대 구석에 정확히 들어간다.
박수 치는 사람들. 오호~. 좀 가르칠 맛이 나는 홍대.
…홍대가 직접 깊은 패스를 해주면 달려가 슛을 쏘는 인선. 어이없이
빗나간다.
…다시 패스를 하는 홍대. 여지없이 실패하는 인선.
수차례 반복하지만 헛발질 혹은 똥볼이다.

홍대   서 있는 공만 잘 차는구만…
범수   (지나가며 딴소리) 내가 너 하나는 이긴다!
홍대   (슬슬 짜증) 아… 거… 쓸데없는 것만 끈질기네, 진짜….
       왜 자꾸 나랑 경쟁을 할라 그래? 기분도 안 나빠, 너무
       말이 안 돼서.

…홍대를 필두로 줄지어 운동장을 뛰고 있는 팀원들.
몇 바퀴 돌지 않았는지 땀도 나지 않는 홍대와는 다르게 헐레벌떡 한
두 명씩 처지기 시작하는 팀원들. 범수, 효봉, 문수 등 너무 쉽게 주저
앉아버린다.

인국   감독님! 조금 쉬었다 하시죠!

소리에 돌아보는 홍대. 그러든지 관심 없는데 소민이 와서 귓속말로
뭔가 전달한다.

홍대   아, 많이 찍었잖아. 그만해.
소민   (돌아서 가며) 호락호락 말 좀 들어, 오빠.
홍대   아, 늙어서 피곤한 걸 어쩌라고…. 아… (귀찮은 호흡 후 연
          기) 이래 가지고 무슨 풋살을 한다고 그럽니까! 뭘 했다
          고 그냥 픽픽 주저앉냐고! 힘들면 주저앉아도 된다고
          누가 그래?! 이제 그러지 않으려고 모인 거 아니냔 말
          입니다!

생각보다 너무 잘해서 놀라는 소민.

홍대   체력이고 정신력이고 말이야!! 뭐 이렇게 그지 같애!!

'그지'라는 말에 잠시 정적이 맴도는 경기장…. 홍대 역시 너무 몰입
했는지 주춤….
슬쩍 카메라를 내리는 병삼에게 그냥 찍으라고 신호 보내는 소민.
잠시의 정적을 깨고….

효봉   그지가… 뭐… 아주 아닌 건 아니지 뭐… 큭.

자기가 말해놓고 웃음 터지는 효봉. 괜히 눈치 보고 있던 팀원들도 좋다고 깔깔거린다.

그사이 홀로 삐진 범수.

범수　　　지가 그렇게 잘났나!! 그럼 자기 실력도 한번 보여줘야지! 한 판 붙자! 우리 다섯 명이랑! 5 대 1로 먼저 다섯 점 내기! 2만 원 빵!

순간 주춤하는 홍대.
한데 팀원들의 표정을 보아 하니 그 정돈 이기겠다는 희망이 엿보인다.
그게 또 기분 나쁜 홍대. 못 이기는 척.

홍대　　　아, 골키퍼는 줘야지!

CUT TO

범수, 효봉, 인선 VS. 홍대. 하프라인에 마주 서 강렬한 눈빛을 주고받고 있다.
문수가 범수 측 골키퍼. 영진은 홍대 측 골키퍼로 배치.
소민과 병삼이 카메라를 들고, 심판 인국이 가운데로 공을 던지며 휘슬을 분다. 우렁찬 소리와 함께 경기 시작.
골! 골! 골! 골! 골!
마지막 골을 넣고 숨을 고르는 홍대의 뒤로 완전 널브러진 팀원들.
"으아아아아~!!!!!" 갑자기 괴성을 지르며 포효하는 홍대! 모두 놀라서

홍대를 보면,

두 주먹과 자신의 발을 내려다보며 간만에 승부 욕구 제대로 채운 홍대의 모습….

갑자기 오버하며 승리의 세리머니 포즈를 연속 날리기 시작한다.

홍대   (뒤돌아 손가락을 치켜세우곤 오버 액션) 이것이 바로 당신들과 나의 차이!! 므하하하하하!

어이없이 오버하는 홍대를 바라보는 사람들.

그냥 말없이 홍대를 쌩까는 분위기.

그러든지 말든지 정리하는 분위기 속 경기장 문을 열고 들어오는 열세 살 은혜.

은혜   (효봉에게 달려가며) 아빠!!!

효봉   (아이보다 더 좋아하며 달려간다) 은혜야!! (은혜가 안기려고 하자 피하며) 아빠 땀 흘렸어. 안 돼.

은혜   (폴짝 안기며) 뭐 어때~.

인국   우리 은혜 왔구나~. 학교 끝났어?

은혜   네! (오버하고 있는 홍대를 보곤) 어? 나 저 아저씨 알아!

효봉   응? 어떻게 알아? 안 유명한데.

은혜   눈 찌르기 아저씨! 맞지?

그 말을 들은 홍대. 순간 오버가 멈춘다.

은혜의 인터뷰 장면.

은혜   저는 열세 살이고요. 공부를 잘해요. 헤헤. (점프) 음…
        아빠는요, 사람이 너무 착해. 바보같이. 그래서 나쁜 사
        람들이 자꾸 이용해먹고 그런 거예요.

a. 공단 골목길, 낮

거의 울상인 상태로 누군가를 숨 가쁘게 추격하고 있는 효봉.

은혜   (V.O) 엄마가 그러는데 아빠가 친구한테 보증이란 걸 해
        줬대요. 그게 패가망신한다고 하잖아요? 실제로 그렇
        더라고요.

도망가는 친구의 뒷덜미를 겨우 낚아채 함께 나뒹구는 효봉.

CUT TO

친구의 손목을 노끈으로 묶고 멱살을 잡고 끌고 가는 효봉. 하지만 마음이 불편하다.

친구   (허탈하게 힘없이) 국밥 한 그릇만 먹고 가자…. 며칠째 아
            무것도 못 먹었다….

효봉   …. (마음 약함)

b. 국밥집. 낮

뜨거운 국밥을 허겁지겁 먹는 친구.
자기는 별로 먹지도 못하고 그런 친구를 안쓰럽게 바라보는 효봉.
…계산대 앞. 꼬깃꼬깃한 1000원짜리 몇 개와 동전을 합해 돈을 지불하는 효봉.
뒤로 보이는 테이블에서 친구가 슬쩍 눈치를 보다가 도망간다.
알고도 돌아보지 않는 효봉.

c. 은혜 모의 친정집. 낮

좁은 집 안에 은혜 외할머니며 이모, 이모의 아이들까지 북적이고 있다.
은혜 모 앞에 무릎 꿇고 앉아 도장을 건네는 효봉.
차갑게 도장을 받아 이혼서류에 도장을 찍는 은혜 모.

작은 방에서 고개를 내밀고 있는 은혜와 눈이 마주치자 바보처럼 웃어 보이는 효봉.

은혜   (V.O) 엄만 아빠랑 살 수 없대요. 뭐… 제가 어쩌겠어요.

d. 은혜의 학교 앞. 낮

은혜 모와 외국인 사내(새아빠)가 하교하는 은혜를 반갑게 맞는다.
아직 어색한 은혜, 고개를 숙이고 새아빠와 눈을 마주치지 않는다.

은혜   (V.O) 사실 우리 엄만… 좀 여우예요. 금세 호주 아저씨
              랑 재혼을 했거든요.

새아빠가 차 문을 열어주면 천천히 올라타는 은혜.
그 모습을 먼 곳 언저리에서 훔쳐보고 있는 효봉. 눈시울이 붉다.
이내 차가 출발하고… 은혜는 백미러를 통해 효봉의 모습을 본다.
이미 알고 있었던 듯하다. 눈물이 한 줄 흐르고 만다.

은혜   (V.O) 아빤 바보라 모를 거예요. 학교 앞으로 오는 거 내
              가 다 아는데….

은혜의 인터뷰.

은혜   그리고… 전… 가을에 호주로 가요…. 호주 아저씨 따라서…. 그래서… 여기 오는 것도 엄마가 허락해준 거예요… (소침)

소민   …가기 전에 혹시 아빠랑 하고 싶은 거 있어요?

은혜   …방학 끝날 때까지라도… 아빠랑 같이 살고 싶어요….

소민   엄마가 그건 허락 안 해줘요?

은혜   아니… 우리 아빠는… 집이 없어요….

소민   음… 그럼… 집을 잠시 빌려주면 어떨까요?

은혜   와, 정말요? 누가요?

소민   빌려줄 사람이 다 있죠.

소민, 저 멀리 널브러져 있는 홍대를 본다. 병신같이 하드를 빨고 있다. 그러다 소민과 눈 마주치는 홍대. 뭐? 왜? 하며 더욱 병신같이 하드를 빤다.

은혜와 효봉 부녀가 감동 어린 시선으로 홍대를 올려보고 있다.

은혜   정말… 그렇게 해도 돼요?
홍대   (자상한 척) 그럼… 집이 좁아서 아저씨가… 아니, 오빠가
        오히려 미안한걸?

홍대는 애써 연기하고 있지만 어금니 악물고 소민을 갈군다.
감사의 뜻으로 말없이 홍대를 안는 효봉. 그리고 팀원들. 허허, 웃는
인국과 환동.
씨익— 입꼬리 올라가는 소민. 범수만 시기 어린 시선.

환동   윤 감독이 크게 생각하는 사람인기라. 허허. 우리 은혜
        좋겠네~.

팀원들 좋다고 박수 치는 와중 빅이슈 직원 1이 인국에게 슬그머니
다가와 뭔가 귓속말을 전한다. 안 좋은 소식인 듯 걱정 어린 기운이
드리우는 인국의 표정.
바삐 걸음을 옮겨 나간다. 그 모습을 캐치한 소민, 무슨 일인가 싶다.

넓은 사무실 한쪽에 간이로 마련된 응접실.
홍보과장과 마주 앉은 인국. 종이컵에 담긴 믹스 커피의 열이 식지 않았다.

인국	저희 대회가 두 달도 안 남았거든요. 지금 후원 철회를 하시면 저희는 어떡합니까?
과장	확실히 결정했던 것도 아닌데 책임지라는 투로 말씀하시면 곤란하죠.
인국	아, 그런 얘기는 아니지만….
과장	사실… 노숙인 하면 냄새나고 더럽고 그런 이미지가 있어서… 후원했을 때 실제로 어떤 반응이 나올지 확신이 서지 않는다는 게 저희 결론이에요. 죄송하게 됐습니다.
인국	저 그럼… 비공개 기부 형식으로 하시면 안 될까요?
과장	(빤히 바라보다) …저희가 그런 일을 왜 합니까?

할 말을 잃은 인국…. 멍하니 쳐다보다 힘없이 일어선다. 돌아서 가려다 멈칫….

인국	저기… 근데요… 냄새나고 더러운 노숙인은 극히 일부

예요…. (급변) 그런 일을 왜 하냐고요? 해야죠! 누구나!
살면서! 이 울타리 밖으로 내몰리지 않는단 보장 있습
니까? 자신 있어요? 그렇게 내몰리면 그냥 죽는 게 답
입니까? 내몰려도! 다시 들어오게끔 도와주는 곳이 있
다는 거! 그거 좋잖아요! 어찌 보면 우릴 위한 거잖아
요! 해야죠! (급변) 네, 근데… 여기선 안 하겠다는 거니
까… 뭐… 니 맘이죠. 즐거운 시간이었습니다. 네. 즐거
운 퇴근하세요.

꾸벅 인사하고 종종걸음으로 빠져나가는 인국.

34   홍대의 집 / 밤

함께 저녁 준비를 하고 있는 효봉과 은혜를 찍고 있는 병삼.

CUT TO

주방 식탁에 마주 앉아 밥을 먹고 있는 효봉과 은혜.

효봉   우리 은혜 호주 가서 공부 잘하고 돌아오면 아빠가 이
               런 작은 집 하나 만들어놓을게.

은혜   응. 근데 내가 괜히 공부 잘해서 호주 가게 된 거 아닌
               가 몰라.

효봉   무슨 말이야?

은혜   나 국제중학교 합격했는데 학비 댈 돈 없으니까 빨리
               재혼한 거 같아.

효봉   에이… 아빠가… 미안해…

은혜   됐네. 어여 먹어. 많이 먹어. 뚱뚱해도 이뻐.

효봉   (금세 바보처럼 웃는다) 헤헤. 너 참 나 안 닮아서 너무 좋다.

은혜   근데 눈찌르기 아저씨는 어디서 자?

커다란 볼에 밥과 고추장 고기볶음 캔, 김치, 참기름을 넣어 비비는
홍대.
옆에서 아무 말 없이 계란 프라이를 하고 있는 진주가 신경 쓰인다.
진주가 계란 프라이 두 개 담긴 접시를 홍대 앞에 내려놓고 마주 앉
는다.

진주   계란 먹어⋯. 키 커⋯.

계란만 보고 있는 진주를 슬쩍 보더니 계란 프라이 하나를 볼에 넣고
비비는 홍대.

진주   두 개 먹어⋯ 축구 선수⋯.
홍대   축구 좋아요? 선수 누구 알아요?
진주   크리스티아누 호날두⋯ 레알.
홍대   (놀람) 오~.
진주   올해는 메시가⋯ 발롱도르⋯.
홍대   와우! (신기하다) 그럼 발로텔리 알아요? 발로텔리.
진주   악동⋯ 못생겼어⋯. 싫어⋯.
홍대   오오오~ 아하하!

얘기하면서도 계속 계란 프라이를 보고 있는 진주.

홍대   아, 계란 먹어요. 난 하나면 돼!

진주   (그제야 계란 프라이를 먹는다)

홍대   프리메라리가 좋아하나?

진주   프리미어리그…

홍대   그치! 재미는 프리미어가 재밌지. 아줌마 축구 빠네!

진주   축빠….

간만에 웃으며 밥 먹는 홍대의 모습….

인국   (V.O) 드디어 우리 연습 경기 상대가 정해졌습니다!

낡은 빅이슈 봉고차가 도로를 달리고 있다.
인국, 기분 좋게 운전하고 있고, 조수석의 소민은 카메라를 들고 있다.
뒷좌석에 다닥다닥 붙어 앉은 홍대와 팀원들.

효봉   근데 어떤 팀인가? 프로 팀인가?!

범수   프로 팀이랑 하기엔 우리가 쪼끔 불리하지 않나?!

문수   아따 오늘 잘하면 우리가 질 수도 있겠고만! 아하하
하하!!!

운동장에 나란히 선 홈리스 팀원들. 우울해진 문수.
좀 전까지 오랜만에 좋았던 분위기가 급침체되어 있다.
이내 저학년으로 구성된 초딩 팀과 마주 서서 상호 간에 인사를 나
눈다.
승부욕 과도한 초딩들의 눈빛 앞에 어색하게 선 홈리스 팀원들.

인국   자! 오늘 경기를 주선해주신 분에게 박수!

전원, 인국이 가리킨 곳을 보면 칸막이 바깥에서 "아빠, 파이팅"을 외
치고 있는 은혜.
어색하게 웃으며 "파이팅" 하는 효봉.

인국   그럼 상호 간에 인사!

팀원들이 고개 숙여 인사를 하려는데 초딩들이 쿨하게 악수를 청하
자 꾸부정하게 악수로 선회하는 팀원들. 그리고 각자 포지션으로 이
동한다.
이내 우렁차게 울리는 인국의 휘슬 소리.

CUT TO

3 대 0 패배로 전반 마감.

홍대를 중심으로 모인 팀원들. 헐떡헐떡… 물을 마시며 홍대의 눈치
를 보고 있다.

홍대   뭐하는 거예요, 들? 응? 초딩이랑 하니까 자존심 상해
       서 안 되겠어요? 못 하겠어요? 그럼 지금 그냥 가고. 일
       어나요, 가게!

아무 말 못 하고 고개 숙인 팀원들. 괜히 딴 데 보는 범수.

홍대   그럼 봐주는 건가, 혹시? 참 내… 쟤들이 키 작고 힘은
       없어도 기술적으로 우리보다 훨씬 우세해! 왜 이기고
       싶어 하지 않는 거지? 그렇다 쳐도 이건 스포츠예요!
       스포츠는요! 이기는 게임을 하는 게 상대방에 대한 배
       려야! 나가서 이겨! 무조건 이겨요!! 알았어요?!
환동   그래! 이겨라, 마. 안 붙었으면 모를까 붙었으면 이겨야
       안 하나?
인국   (홍대 눈치를 보다가) 후반 시작합니다!!

파이팅 어린 분위기가 뭔가 좀 어색하지만 동요한 듯 팀원들 하나둘
일어나 몸을 푼다.

홍대   거 참… 파이팅이 어색해? 자, 손 모아요, 손!

모든 팀원들이 어색하게 모여 손을 얹는다.

홍대   하나 둘 셋 하면 이기자, 이기자, 아싸! 오케이? 하나둘
             셋!!! 이기자, 이기자! 왜 안 해?!

어설프게 "이기자, 이기자, 아싸"를 각자 외치는 팀원들.

홍대   아이고 참. 수고들 하셨네. 큰일들 하셨어. 아, 나가요!
             나가!!

손뼉 치며 팀원들을 내보내는 홍대를 빤히 쳐다보는 소민.

홍대   뭐? 왜?
소민   연기가 갈수록 좋아지네, 싶어서.
홍대   (겸연겸연…) 연기는 메소드지.

후반전 휘슬이 울리고!

a. 초등 운동장

인선이 보기 좋게 돌파해 슛을 날린다.

빠르게 날아오는 공을 막아내지 못하는 초딩 골키퍼.

3 대 1. "와—." 좋아하며 사기 올라가는 팀원들.

b. 지하철역. 낮

벽기둥 옆에 고개를 숙이고 선 인선, 저 멀리 공익요원의 눈치를 본다.

공익, 무섭게 눈을 치켜뜨면 바로 꼬리 내리고 돌아서 가는 인선.

하지만 벽기둥 반대편에 이미 전단지가 한가득 붙어 있다.

c. 초등 운동장

골키퍼 문수가 몸을 사리지 않고 막아낸 공. 벌떡 일어나 인선에게 롱패스.

인선은 이번엔 슛을 하지 않고 반대쪽에서 달려오는 영진에게 패스한다.

어설프지만 가슴으로 공을 밀어 골을 성공시키는 영진. 3 대 2.

인선의 생각지 못한 어시스트에 입이 벌어지는 홍대와 환동과 인국.

"오오오~!!!!!"

d. 어느 주택가. 낮

갓난아이를 안고 힘겹게 오르막길을 오르고 있는 현주.

집 앞에 다다랐을 때 문 앞에 놓인 기저귀 박스를 보고 갸우뚱하며 돌아본다.

그 모습을 먼발치서 훔쳐보고 있다가 흠칫 놀라 숨는 환동. 도망가지만 기분은 좋다.

e. 초등 운동장

골대 앞에서의 각축전. 이번엔 지지 않으려 이 악무는 효봉, 겨우 공을 툭 건드리면 인선, 놓칠세라 슛! 골인! 4 대 3. 좋아하는 효봉.

f. 시장통 옷가게. 낮

<귀여운 여인>의 리처드 기어처럼 앉아 있는 효봉.

은혜가 여러 차례 옷을 갈아입으며 줄리아 로버츠처럼 선보인다.

g. 초등 운동장

초딩 수비의 패스를 몸을 날려 인터셉트하는 인선, 벌떡 일어나 패스! 얼떨결에 발을 갖다 대고 골을 성공시킨 범수.

실수로 들어간 골에 좋다고 날뛰다가 홍대와 눈이 마주치자 새침하게 시선 돌린다.

h. 고시원 공동 주방. 밤

계란빵을 먹고 있는 진주에게 프리미어리그 축구 유니폼을 건네는 홍대.

계란빵을 내려놓고 옷을 갈아입으려는 진주를 말리는 홍대.

i. 고시원 밖. 밤
불 켜진 주방 창문을 올려다보고 선 범수. 질투로 이글거리는 눈빛.

j. 초등 운동장
인선, 강력한 슛을 날린다!!
이번엔 골대를 향하는 듯 보이는 볼! 하지만 역시나 방향이 다르다.
그 볼은 방심하고 있던 효봉의 안면을 정확히 강타하고!
효봉이 쓰러지는 동시에 골대로 빨려 들어가는 볼!
의도치 않은 효봉의 안면 슛으로 역전! 그리고 경기 종료 휘슬!!
"와—." 좋아하며 나름의 세리머니를 하는 팀원들과 홍대, 인국, 환동.
처음으로 무공해 미소 보이는 소민. "아빠!!" 하며 효봉에게 달려가
안기는 은혜.
효봉의 코에서 주르륵— 코피. 하지만 기분 좋은 미소다.

코피 흘리며 웃는 효봉의 얼굴에서 화면이 정지되어 있다.
편집기 위에 엎어져 잠이 든 소민, 무슨 꿈을 꾸는지 웃고 있다.
같이 밤을 새웠는지 수건으로 얼굴을 닦으며 들어오는 병삼.
그때 벌떡 오버하며 일어나는 소민 덕에 자빠지고 마는 병삼.

병삼   아, 왜!! 왜! 왜!

소민   너무 좋은 꿈을 꿨어!

병삼   그게 왜?! 뭐?!!

소민   내 다큐 시청률이 막 치고 올라가는데 그 치솟는 그래
         프를 떼다가 팀장의 싸다구를 날려버리는 꿈! 근데!! 난
         좋은 꿈을 꾸면!! 기어코 재수 없는 일이 벌어지고 마는
         운명을 가지고 태어났지…. (그때 무섭게 울리는 핸드폰 벨소
         리) 여 봐!!

병삼   (괜히 더 놀람) 뭐! 뭐!!

사무실 한쪽에 마련된 작은 회의 테이블에 모여 앉은 소민, 병삼.
그리고 뭔가 굉장히 조심스러운 표정의 인국.

소민	(심각함) 후원업체가 다 발을 뺐다는 건….
인국	얘기인즉슨… 올해 대회 출전이 어려울 수도….
소민	(버럭) 무슨 말씀하시는 거예요! 이거 국장님이 의뢰한 거잖아요!
인국	네… 맞습니다….
소민	나 이거 우리 팀장한테 내 목줄 던져놓고 찍는 거야! 이거 망하면 짤려도 그만이라고 다 개겨놓고 찍는 거라고!
인국	네… 제가 어떡해서든지 내년에라도….
소민	이것 보세요!!
홍대	어이.

언제 들어왔는지 입구에 서 있는 홍대.
한껏 인상을 찌푸리고 있으나 손엔 방금 입에서 뺀 하드가 들려 있다.

홍대	아, 쌍… 여긴 뭐 하드만 물고 있으면 얼척없는 소리가 나와…. 뭔 소리야? 다시 떠들어봐.
소민	(무시하고) 얼마가 필요하고 얼마가 없는데!

홍대	지금 출전비 없다는 거야? 그래서 파투라고?
인국	그… 네… 항공료랑 장비 뭐….
소민	숫자만 말해요!
인국	네! 대략 3000만 원 정도 필요한데요!
소민	얼마 있는데, 지금! 솔직하게! 제로예요?
인국	그래도 제로는 아닙니다! 마이너습니다! 그… 저희가 항상 적자….
소민	(충격에 말을 잃은) 어흑….
홍대	이거… 사기극이었어…? 준비도 안 된 거에 나 끌어들인 거야? 응? 이게 그 유명한 허공에 삽질인 거야?
소민	조용해 봐, 제발….
홍대	당신, 나한테 사기 친 거야!
소민	사기? 이거 엎어지면 내가 노숙자 된다고! 사기 아니라 살인도 할 판이야!
홍대	노숙자가 되건 살인자가 되건 내가 왜 니 사정에 휘말려야 되는데?!
인국	제가 꼭! 후원금 받아오겠습니다!
소민	어디서요?
홍대	됐어! 관둬, 쌍!
소민	못 그만둬! 어디서 받아오냐고요!
인국	그… 여기저기 사회단체….
소민	그러니까 사회단체 어디?!!
인국	그….

잔뜩 화가 올라 돌아서는 홍대.

사무실을 나서려는 찰나, 요란하게 울리는 홍대의 전화.

모르는 번호. 받을까 말까 하다가 흥분을 가라앉히고 전화를 받는다.

홍대   여보세요.

어떤 말을 들었는지 표정이 굳어져가는 홍대. 힘없는 한숨이 샌다.

면회 번호를 알리는 전광판 등 구치소 풍경들.

아크릴판을 사이에 두고 마주 앉은 선자와 홍대.

선자의 얼굴에 작은 상처들이 여럿 보인다.

홍대   빚쟁이들한테 잡혔구만….

선자   원래 내가 빠른데… 이년들이 육상부 딸내미를 데려왔
어. 너 근데 엄마도 학교 다닐 때 육상부였던 거 알지?
열라 뛰었는데! 와~ 그 딸년이 내 옆으로 나란히 달리
면서 날 보고 씨익— 쪼개더라. 크크….

홍대   분위기 좋네. 웃음도 나오고.

선자   후… 홍대야… 합의만 하면….

홍대   엄마… 엄마 인생에 최우선이 뭐야? 1등이 뭐냐고….

선자   응?

홍대   내가 엄마한테 2등은 돼? 다른 엄마들은 보통 자식을
1등으로 두지 않아?

선자   (미안해지기 시작…) 그… 3, 4등 정도로 두는 엄마들도 많
아….

홍대   그래… 고맙네…. 내가 그냥 2등 팔자네, 그냥…. 엄
마… 나 돈도 없고… 그냥 죗값 다 치르고 나와.

선자	어떻게 엄마한테 그렇게 말해? 엄마 충치 치료도 못 했어.
홍대	(결국 터져버린다) 나한테 왜 이래!!! 충치?! 충치?!! 나한텐 엄마가 충치야!!
선자	…홍대… 무슨 일 있니?
홍대	…무슨 일은 항상 있어…. 엄마가 그 일이야…. 후…. 우리 그만… 쌩까고 살자….

돌아서 나가는 홍대를 안타깝게 바라보는 선자.

취기에 비틀거리며 고시원으로 향하는 홍대.

이내 핸드폰 문자음 울리면 핸드폰을 꺼내 확인한다.

'윤 감독님, 집 잘 썼습니다. 정말 고맙습니다. ─ 효봉 아저씨.'

별 감흥 없이 핸드폰을 끄고 고시원 건물로 들어서려는데…

어디선가 욕설 섞어 희희낙락 떠드는 소리가 얼핏 들린다.

건물 옆 골목길 쪽을 슬쩍 보는 홍대.

동네 양아치들이 놀이터에서 놀고 있는 모습에 대수롭지 않게 시선을 돌리는데,

혹시나 싶어 미간을 좁혀 다시 보는 홍대.

양아치들 사이에 누군가 쪼그려 앉아 괴롭힘을 받고 있는 듯 보인다.

천천히 걸음을 옮기며 자세히 확인하면 쪼그려 앉아 있는 이는 다름 아닌 진주.

양아치들 네 녀석, 술을 한 건지 본드를 분 건지 하나같이 눈이 풀려
선 작은 행동 하나에도 좋다며 키득거리고 있다. 그네 밑에 쪼그린 진
주는 겁을 먹은 듯 잔뜩 몸을 움츠리고 있다.

양아치 1   아… 대답 안 하니까 오기 생기네….
양아치 2   누나, 쫄지 마. 내가 그네 밀어줬잖아, 응?
양아치 1   아, 그거 옷 좀 바꾸자는데 자꾸 쌩깔 거야? 찢어버린다!

양아치들이 좋다고 유니폼을 벗기려 하자 그네를 부여잡고 끙끙거리
는 진주.

양아치 1   말 들어, 아줌마! 계란 사 먹어야지!

킬킬거리며 옷을 잡아당기던 양아치 1, 누군가의 발차기에 의해 날
아간다.
깜짝 놀라 물러서는 양아치들. 보면, 무서운 얼굴의 홍대다.
진주의 옷을 여미고 일으키려 하지만 이미 겁에 질린 진주가 고개도
들지 않고 버틴다.

홍대   일어나요…. 나야… 나라고!!

그때, 퍽! 양아치 1이 휘두른 각목에 머리를 맞고 쓰러지는 홍대.

양아치 1   아… 꼭 맘먹고 나쁜 짓 좀 할라 그러면 이딴 새끼가 등
            장하더라.

서서히 일어서는 홍대. 이마에 흐르는 피를 닦아낸다. 고단함이 밀려
온다….

홍대   하… 오늘 왜 이렇게 그지 같냐…. 도망갈 새끼… 지금
            가라…. 남는 새끼… 갈아 마셔버린다.
양아치 1   (멍하니 보다가) …야, 믹서 좀 갖다 드려라. 갈아 드신단
            다. 먹어봐…. 먹어봐, 이 씨발라마!!

양아치 1의 괴성과 함께 우르르 달려드는 양아치들을 차례로 두들기
는 홍대.
머릿수에 밀리는가 싶더니 쌓인 감정 풀 듯 주체하지 못하는 홍대의
괴력에 하나둘 나가떨어진다. 모두를 때려눕히고 숨을 고르며 허탈
하게 마른세수를 하는 홍대.

경찰서를 배경에 두고 뉴스를 알리고 있는 해맑은 기자.

해맑은   (본인을 가리키며) 기자 폭행 사건이 불과 두 달도 지나지 않은 상태에서 또다시 폭행을 휘두르고 만 윤홍대 선수. 이번 폭행 대상은 무려 고등학생. 심지어 만취 상태였다고 합니다. 놀라운 점은 눈을 찔린 피해자가 없었다는 것인데요. 이번엔 축구 선수답게 발차기를 십분 활용하여….

김 대표   (V.O) 야, 꺼.

옥토버 엔터 회의실 / 낮

별말이 없는 직원들과 평소와 다르게 정적으로 앉아 있는 김 대표.

직원1   어떻게….

김 대표   호락이… 버리자.

별일 없던 사람처럼 미련 없이 일어나 회의실을 나가는 김 대표.

일상적인 업무를 보고 있는 형사 옆에서 걱정스레 질문을 하고 있는 환동.

환동   윤홍대 선수 말입니다. 잘 아시겠지만….

형사   잘 몰라요.

환동   학생들이 지적장애를 앓고 있는 여성을 괴롭히고 있었는데….

형사   그 여성분이 말을 못 해요.

환동   가끔 해요! 좋아해서, 윤홍대 선수를….

경찰서 복도 / 낮

자판기에서 커피를 꺼내는 형사.
귀신처럼 옆으로 스윽— 다가서는 인국.

인국   윤홍대 선수도 좀 맞지 않았습니까?
형사   안 맞았대요.
인국   (정말? 따지듯) 뭔 싸움을 그렇게 잘한답니까, 윤홍대 선
         수는!

 경찰서 건물 앞 / 낮

출동하는 듯 급하게 기동대 봉고차로 달려가는 형사.
그 옆으로 바짝 붙어 뛰고 있는 문수.

문수   윤홍대 선수가!
형사   (아, 씨발…!!)

소변을 보고 있는 형사. 그리고 바로 옆에서 역시 소변을 보고 있는 효봉.

자신의 가운데 닿아 있는 효봉의 시선이 무척 불쾌한 형사.

형사   후… 여길 왜 봐요…?

효봉   그… 윤홍대 선수가….

형사   (아… 씨발…) 이게 윤홍대야…? 왜 여길 보고 말해요…?

효봉   아니, 그… 윤홍대 선수가….

형사 앞에 고개 숙이고 서 있는 인선.
급격히 피로해 보이는 형사….

형사   (인선에게 힘없이) 윤홍대?
인선   (경진의 실종 찌라시를 건네며) 사람을 좀 찾는데요….
형사   아… 씨바… 두통…. (휙 — 반대쪽으로 돌아보며) 당신들 대
       체 왜 이래?!

그 반대쪽엔 소민이 서 있다. 소민이 시킨 듯.

소민   아니, 폭행 사건인데 뭔 조사를 하나도 안 하냐고요?!
형사   (귀찮다) 피의자가 인정하고 가만있는데 뭔 조사를 해
       요? 아, 그리고 증인은 말을 못 하지, 주변에 CCTV도
       없고! 거 합의나 잘 보라고 해요. (소민을 지나쳐 나간다)
       후….
소민   윤홍대 선수는…!
형사   윤홍대 윤홍대 윤홍대!! 그만!!

형사, 자신을 겨우 진정시키며 돌아서는데 그를 막고 선 누군가. 창렬
이다.

창렬	저… 윤홍대 선수….
형사	(총을 꺼내 들며) 아오!!!!

흥분한 형사를 말리는 다른 형사들.
영문도 모른 채 기겁하고 주저앉는 창렬.

 51 **경찰서 복도 / 낮**

자판기 앞 의자에 나란히 앉은 소민과 창렬.

창렬	피디님은 피디님이니까 홍대가 어떤 사람인지 세상에 알릴 수 있잖아요?
소민	아니, 제가… 그런 급은 아니고….
창렬	그놈, 축구에 관심 없는 척 연예인 한다 떠들고 다니니까 연습도 제대로 안 한다고 사람들이 아는데… 다 틀렸어요.

52　홍대 몽타주

a. 훈련장. 밤

아무도 없는 훈련장. 낮은 조명 아래 전력을 다해 달리고 있는 홍대.
훈련장 끝에서 끝을 오가길 반복하고 있다. 숨이 멎을 것 같다.

창렬　　　(V.O) 홍대… 개인 훈련 누구보다 독하게 했어요. 근
　　　　　데… 노력하는 놈이 타고난 놈 이긴다는 건… 그냥 말
　　　　　이구나…. 운동선수는 그걸 느끼는 순간이 있어요….

b. 경기장. 낮

성찬을 따라 죽을 듯 달리고 있지만 저 앞에 달려가는,
오히려 멀어지고 있는 성찬의 뒷모습만 보일 뿐.

창렬　　　(V.O) 죽어도 좋다 하고 뛰는데… 저 앞에 가는 놈은 그
　　　　　만큼 또 멀어져. 못 따라가는 거지 못하는 건 아닌데…
　　　　　조금 처진다고 낙오하면 잡아줘야죠…. 축구를 앞에
　　　　　가는 놈 혼자 하나?

경찰서 복도 / 낮

쓸쓸한 창렬의 얘길 듣고 생각에 잠기는 소민.

고시원 / 밤

진주의 방 앞에 쪼그려 앉은 범수. 손에는 계란빵이 들어 있는 종이
봉투.

범수   앞에 두고 갈게! 테레비 봐요! 축구 봐!

일어서려는데, 바로 옆에 서 있는 소민과 형사를 보고 기겁하며 다시
주저앉는 범수.

범수   아, 씨···. 아, 왜 소리 없이 와!! 거 안 나온다니까 아
           직···.

소민   (아무렇지 않게 노크하며) 진주 아줌마, 저 소민이예요. 아시
           죠? 홍대 씨가 지금 도움이 필요해요. 윤홍대 선수 알

죠? 윤홍대.

형사   아… 두통….

범수   아, 소용없다니까요….

범수의 말이 끝나기도 전에 스르르… 문이 열린다.

충격에 입이 벌어지는 범수….

범수   난 너한테 뭐… 뭐… 후…. 그놈의 윤홍대.

형사   (아… 두통)

진주, 총총걸음으로 소민과 형사의 손을 잡고 놀이터 쪽으로 데려간다.
뒤따라오는 범수는 무슨 말을 하려는 건지 의아하다.
놀이터 앞에서 멈춰 서는 진주, 손가락으로 그네 쪽을 가리킨다.

형사　　네. 저기 그네? 그네에서 애들이 괴롭혔죠?
범수　　그러게 날도 궂은데 왜 그네를 타.

진주, 끄덕끄덕하더니 놀이터 반대쪽으로 돌아선다.
그리고 건너편에 있는 주택의 옥상을 가만히 올려다본다.
진주의 시선을 따라가 보는 소민과 형사.

형사　　왜요? 하늘? 하늘에?
진주　　(옥상을 가리킨다)
형사　　옥탑방?
진주　　(끄덕끄덕하더니 소민의 손에 있는 핸드폰을 톡톡 친다)
소민　　?? 핸드폰?
진주　　(끄덕끄덕)

무슨 말인가 잠시 생각해보는 형사….

소민   저기 옥상에서! 누가 핸드폰으로 찍었다?!

인서트. 옥상

놀이터에서의 홍대와 양아치들의 싸움을 누군가 핸드폰으로 찍고 있다.

진주   (자신 없지만 끄덕끄덕)

범수   (진주가 놀랍다)

순간, 주택 계단으로 달려가는 소민과 형사!

음악과 자막을 활용.
풋살 경기장에서 처음 인사를 나누는 홍대의 모습.
날짜와 '홈리스 축구단과의 첫 만남'이란 자막.

…홍대의 코치하에 열심히 땀을 흘리며 훈련하는 모습.

…연습 경기에서 승리한 후 좋아하는 홍대와 팀원들의 모습.

…효봉과 은혜에게 집을 빌려주기로 하는 장면….

…홍대의 집에서 밥을 먹으며 행복해하는 효봉과 은혜의 모습….

…고시원. 진주와 계란에 밥을 비벼 먹으며 프리미어리그 얘기를 하
　는 홍대의 모습….

그리고 순간… 음악이 끊기더니 사건 당일의 핸드폰 동영상이 흐른다.
양아치들이 진주를 괴롭히는 모습에서부터 홍대가 양아치들을 두들
겨 패는 모습까지.

자막 – 누가 가해자이고 누가 피해자일까요?

여러분은 어떻게 하시겠습니까?

페이드아웃.

 빅이슈 사무실 / 낮

동영상을 보고 있는 인국과 팀원들. 멍~.

 김 대표 사무실 / 낮

소민이 인터넷에 올린 동영상을 가만히 보고 있던 김 대표와 직원 1, 2, 3.
조횟수 올라가는 게 눈으로 보인다.

김 대표　　　야, 윤홍대 데려와. 아니, 모셔와.

후다닥 달려 나가는 직원 1, 2, 3.

a. 뉴스 화면. 공원

'가해 학생 어머니 ×× 씨'라는 자막에 모자이크 처리된 영상.

어머니   고소는 당연히 취하했고요…. 인터넷에 신상 털리면
                      우리 애들은….

b. 한밤의 연예중계

남 사회   이 동영상 하나로 하루아침에 액션 영웅으로 떠올랐
                      어요!
여 사회   액션 홍대 UFC 진출설, 사실인가요?

c. 격투기 체육관

관장   저희는 열려 있어요. 환영합니다.

d. 게임 엔 대표 사무실

박민규   윤홍대 게임을 개발하고 싶어요. 일진 때려잡는 게임
                      인데, 중독성 있게.

e. 뉴스 룸

앵커   최근 윤홍대 선수의 영웅 동영상이 화제가 되면서, 장
         애인이나 약자를 상대로 한 폭행에 대해 가해자가 미
         성년자일지라도 가중처벌해야 한다는, 이른바 윤홍대
         법이 거론되고 있습니다.

60 빅이슈 사무실 / 낮

둘러앉아 잡지를 챙기고 있는 팀원들.
인터넷을 보며 즐거워하고 있는 인국.

효봉   와… 사람 패고 인생 역전이네….
범수   그게 사람 새끼들이냐? 아우… 손댄 김에 그냥 죽여버
         리지.

그때, 소민과 병삼이 급하게 들어오고, 팀원들, 소민을 반기며 박수
친다.

환동	이 피디 수고했어요!
소민	아, 박수 칠 때 아니고요. (인국에게) 어떻게 됐어요?
인국	아~ 피디님이랑 감독님이 다 만들어주시네요~. 감사합니다~.
소민	어떻게 됐냐니까?
인국	(노트북 모니터 보여주며) 여기 보세요…. 허허… 조금 모자란데… 동영상 이후로 우리 텀블벅이 홍보가 돼서… 현재 500만 원 돌파!! 금방 목표 액수 달성하겠어요! 아하하.

병삼, 좋다고 환호하며 박수 치는데 팀원들, 텀블벅이 뭔지 모른다.

병삼	성금 같은 거예요.

아~. 그제야 고개를 끄덕이며 박수를 치는 팀원들.

환동	나도 좀 보탤게. 한 5만 원 정도?
효봉	난 3만 원.
범수	안 친한 사람 결혼식 가냐? 5만 원 해!
효봉	넌 얼마 할 건데?
범수	난 안 하지!

찍찍이 지갑을 열어보고 고민하는 인선.

소민	아, 근데 윤홍대는 왜 안 나타나? 왜 연락두절인데?
인국	나도 그걸….
인선	저….

 쪽방촌 / 낮

쪽방촌 비좁은 골목. 인선을 따라가는 소민의 발걸음이 성난 듯 보인다. 작은 문을 열고 들어가면 낮이지만 채광이 거의 없는 눅눅한 공간이 보인다. 끝 쪽에 정면으로 보이는 방문 앞에 서서 여기라고 가리키는 인선.
한 호흡에 걸어가 벌컥 문을 열면, 한 사람이 겨우 생활할 수 있는 공간. 포장해 온 뼈다귀 해장국을 깔고 밥 먹던 홍대가 뼈를 발라 먹으며 소민을 올려다본다.

소민	(어이없음) 고기 먹는구나…. 뼈 발라 먹네?
홍대	왜 은둔 생활하는지 알겠어. 조온나 편해.
소민	야!!

소민이 쪽방촌을 가로지르던 모양새와 비슷한 홍대의 뒷모습.
김 대표 방에 다다라 문을 벌컥 열면, 컵라면을 먹고 있던 김 대표,
단무지를 씹으며 홍대를 올려다본다.

홍대	뭐하냐?

CUT TO

홍대	정글의 규칙? 정글 가서 막 도마뱀 잡고, 그거?
김 대표	응, 그거.
홍대	정글 가?
김 대표	응, 정글 가.
홍대	아니, 정글 가는 날이 이게… 나 브라질 가는 날 전날이야. 알아?
김 대표	응, 알아. 브라질은 가지 마.
홍대	뭐?
김 대표	내가 뭐라디? 열정 페이 받는 애들이 신파 잘한다니까? 우리가 원하는 걸 미리 만들어줬잖아. 고맙지, 뭐.
홍대	아니, 월드컵 준비 이제 다 했는데….
김 대표	아, 홈리슨지 홈플러슨지 그게 무슨 월드컵이야, 인마.

자선단체 행사지. 지금 팍 치고 들어가야 돼. 여론이라
는 게 얼마나 정이 없는지 아냐? 나쁜 쪽으로 터지든
좋은 쪽으로 터지든 금방 식어. 잊힌단 말이야.

홍대   아무리 그래도….

김 대표   이 새끼가 근데…. 그래, 너 본성은 착한 새낀 거 아는
데… 지랄 싸지 마. 예수처럼 살지도 못할 새끼들이 착
한 척 가식 떠는 거 존나 역겨워. 홍대야, 그냥 나쁘게
살자, 우리. 나쁘게.

홍대   ….

김 대표   (책상에서 계약서를 가져와 툭 던진다) 나 너한테 잘할 거야.

계약서를 빤히 쳐다보는 홍대…. 달리 할 말이 없다….

파라솔에 앉아 고민에 빠진 홍대.

슬슬 몸을 풀거나 장비를 꺼내는 팀원들.

아빠를 응원하는 은혜의 모습도 보이고.

홍대 앞을 지나던 범수가 걸음을 멈춘다. 홍대 쪽을 돌아보진 않고 정면을 보며.

범수   고마움은 느끼고는 있으나 널 인정하는 것은 아니다!

국어책 읽듯 내뱉곤 그냥 지나쳐가는 범수. 철저하게 쌩까는 홍대.

카메라를 들고 스케치하다가 홍대 옆으로 와서 앉는 소민.

소민   어이, 대표랑 어떻게 얘기 된 거야?

홍대   몰라.

소민   나한테 고마운 거 없어?

홍대   생색내고 싶어? 뭐 식용유 선물 세트라도 보내줄까?

소민   (때릴 수도 없고…) 후… 비누 세트로 해라. 비누 떨어졌다.

홍대   그래. (일어서며) 인선! 패스해봐!

인선, 툭— 볼을 패스한다.

홍대   인선, 달려!

인선이 반대편 골대를 향해 달리면 롱패스를 해주는 홍대.
홍대의 패스를 논스톱 슛으로 시도하는 인선. 결과는 헛발질.

인선   죄송합니다….
홍대   한 번 더.

열심히 달려왔다가 다시 뒤돌아 뛰는 인선에게 롱패스해주는 홍대.
논스톱 슛. 하지만 역시나 똥볼. 시선을 피하는 인선.
의욕이 나지 않는 홍대. 모든 게 귀찮게 느껴진다.

홍대   이 정도 했으면 한 번은 될 법도 한데, 그치? 됐어. 못해
            도 돼. 니가 이동국도 아니고….

CUT TO
가벼운 단체 훈련을 진행하는 홈리스 팀. 홍대를 가운데 두고 한 명씩
번갈아 가며 5 대 1 패스를 해주고 있는 홍대.
팀원 한 명… 한 명… 패스할 때마다 살펴보는 홍대의 눈빛.

홍대   (인선에게 패스) 인선이는 자신감 좀 키우고.
            (효봉에게 패스) 거 다이어트 좀 하시라니까.
            (문수에게 패스) 경기 중엔 우울해지지 마요, 좀.

(영진에게 패스) 수비가 좋아. 이대로만 해요.

범수에게 패스하며 아무 말도 하지 않는 홍대.
뭔가 말해줄 줄 알고 쳐다보다 제대로 트래핑 못 하는 범수.

CUT TO
홍대와 인국을 중심으로 한데 모인 팀원들. 음료를 마시며….

홍대   이제 진짜 얼마 안 남았네요. 드시면서 들으세요. 저
　　　는… 같이 못 갑니다, 브라질.

순간 정적이 흐른다. 기분 나쁘게 카메라를 닫아버리는 소민.

홍대   사정이 그렇게 됐네요. 뭐 내가 간다고 크게 달라질 것
　　　도 없잖아요.
인국   감독님… 아니….
은혜   브라질 안 가면 뭐해요?
홍대   뭐… 도마뱀도 잡고….
은혜   ?
홍대   에이, 몰라. 뭐 아무튼 남은 시간 열심히 합시다.

그저 멀뚱히 쳐다보는 팀원들. 홍대, 별 감흥 없이 돌아서 가려는
데….

환동	윤 감독… 우리가 뭐 잘못했나?
홍대	아, 환동 아저씨가 감독 하면 되겠네. 형님들이 말 잘 들으니까.
환동	야들이 말 안 들어서 그러나?
효봉	(범수 가리키며) 애 때문이야? 얘가 빠질게, 그럼!
범수	떴다고 째는 거지 뭘 나 때문이야!

어째야 할지 모르겠는 인국. 소심하게 일어서서 가는 인선.

문수	야, 너 어디 가냐, 인마!
인선	(평소보다 더 초조해져선) 그냥… 저기… 전단지 붙이러….
영진	진짜 빠지세요??
효봉	아, 얘가 빠질게!
범수	아, 자꾸 왜 나 가지고 지랄이야!
환동	우리들끼리 언성 높이지 말자. 조용! 감독님이 생각이 있겠지.
범수	뭔 생각? 생각 없어!
홍대	네, 생각 없어요. 이거… 처음부터 생각이 없었어요.

미련 없이 돌아서 가는 홍대.
소민, 카메라를 던지듯 병삼에게 건네고 따라나선다.

문수	(급우울) 맞는 것 같네요…. 떴다고 째는 거….

환동	그래 말할 거 뭐 있노? 열심히 가르쳤다 안 하나.
범수	뭐 배운 것도 없어! 맨날 뜀박질이나 하고
효봉	넌 그것도 못 했었잖아….
범수	뭐라고?!!
효봉	안 들린 척하지 마….

64 경기장 밖 일각 / 낮

앞서 걷는 홍대를 빠른 걸음으로 쫓아가는 소민.
소민이 말 걸기 전에 확― 뒤돌아보는 홍대.

홍대	뭐?! 왜 뭐?!
소민	엄마 때문에 이러는 거구나! 와~ 효자 납셨네. 근데 호락 오빠… 존나 불쌍해 보여. 알아?
홍대	뭐 뽑아 먹겠다고 여기 붙어서 안달하는 너도 존나 불쌍해. 알아? 불쌍한 인간들끼리 엮이지 말자고. 더 불쌍해 보이잖아.

차갑게 돌아서는 홍대. 아무 말 하지 못하는 소민, 눈물이 고이지만 굳게 참는다.

65　거리 / 낮

우산을 펴거나 뛰기 시작하는 거리의 사람들.
가만히 비를 맞다가 어느 처마 아래로 몸을 옮기는 홍대.
한동안 거세지는 비를 그저 바라본다.

66　풋살 경기장 / 낮

대기석 아크릴 지붕 아래 나란히 앉아 있는 인국, 소민을 비롯한 팀
원들.
아무 대화 없이 비를 구경하고 있다. 페이드아웃.

피디와 작가들, 연예인들 사이에 앉아 있는 홍대.

익숙하지 않은지 어색하기만 한 모습.

피디는 보드판의 현지 사진들을 가리키며, 기계적으로 설명 중.

피디　　　이 바위 이 지점에서 쥬리 씨가 넘어졌으면 좋겠어요.
　　　　　그럼 홍대 씨가 부축하고. (사이) 도마뱀 이거 먹을 건데,
　　　　　파충류 알레르기 있으신 분?

연예인　　없어요. 제가 먹을게요. 진짜 좋아해서 그래.

연예인　　제가 먹을게요. 난 녹차 물에 밥 말아서 얹어 먹어, 보
　　　　　리굴비처럼.

연예인　　제가 먹을게요. 난 육회로 먹어.

연예인　　육회 받고, 나는 산 채로 먹을게.

서로 먹겠다고 싸우는 출연진이 참 멀게 느껴지는 홍대.

68 홍대의 오피스텔 / 낮

보글보글 끓고 있는 된장찌개.

참기름을 두르고 맛깔스럽게 버무려지는 잡채.

아삭아삭— 시원하게 썰리는 배추김치.

CUT TO

마주 앉아 식사하는 홍대와 선자.

의심스럽지만 찌개를 한 입 맛보는 홍대. 아니나 다를까… 불편하다.

태연하게 식사하는 선자.

불편함을 견디고 잡채를 먹는 홍대. 입에 넣자마자 수저를 내려놓는다.

그제야 클클—거리며 웃어대는 선자.

홍대	(포장 김을 찢으며) 왜 음식을 먹는데 얻어맞는 기분이 들까?
선자	보라고 한 거야, 보라고. 윤홍대… 고맙다. 돈은 빠른 시일 안에 갚을게….
홍대	뭐해서 갚아?
선자	아저씨랑 같이 제주도로 내려가기로 했어….
홍대	제주도?
선자	그냥… 아무도 모르는 데서 새로 시작해보려고….
홍대	그치…. 아무도 몰라야 사기를 치지.

선자   엄마 이제 정말 안 그래. 경치 좋은 데서 회개하고….

쓸쓸하게 새어 나오는 한숨을 숨기고 우걱우걱 밥을 먹는 홍대.

CUT TO

2003년 청소년국가대표 아시안컵 경기 영상.
전반 시작과 함께 달려가는 8년 전 홍대의 앳된 모습이 화면에 잡힌다.

선자   윤홍대의 처음이자 마지막 청소년국가대표 경기.
홍대   아, 꺼. 보기 싫어. 안 가?
선자   아, 잠깐만. 쪼금만 보자, 응?

보기 싫다고 했지만 슬쩍 눈길을 주는 홍대.

선자   그렇지! 저기서 윤홍대 선수 스루패스!! 자빠졌지. 빙신
        저거….

실제 홍대의 패스를 받은 선수가 심하게 자빠지며 구른다.
시간의 흐름…. 영상은 후반전이 시작되고 있다.

홍대   아… 저걸 내가 찼어야 됐다고.
선자   그러니까! 저 감독 새끼 저거 양아치야, 저거!

화면 속 페널티킥을 실패하는 한 선수의 모습. 시간의 흐름….

선자　　　자… 여기서… 여기서… 골!!!! 골인!!!!!

오버하며 일어나 춤을 추는 선자.
화면 속, 경기 종료 직전 결승골을 터트리는 홍대의 모습이 보인다.
가만히… 자신의 모습을 보며 회상에 젖는 홍대…. 피식— 웃음이 샌다.
오버하다 금세 지치는지 급조용히 앉는 선자.

선자　　　아오… 나이를 먹긴 먹는구나, 내가. 요거 흔들고 숨차네. 후…. 저때… 경기장 못 가서 미안해.

홍대　　　누가 들으면 다른 경기엔 온 줄 알겠어?

선자　　　아, 새끼 거…. 지 애미 닮아서 한마디를 그냥 안 넘어가네, 거. (영상 속 행복한 홍대의 얼굴에서 정지시키곤) 하… 잘생겼어. …윤홍대, 너 정글 갈 거야?

홍대　　　….

선자　　　야, 나도 육상할 때 맨날 2등이었어. 아~ 씨… 쫌 열심히 할라 그랬는데 열여덟 살에 니가 나와 가지고.

홍대　　　그게 내 잘못이야? 웃기고 있어. 고딩이 까진 거지!

선자　　　야! 니 아빠가…! 후… 우린 어린 나이에도 불구… 사랑으로 서로를 불태우는 법을 알았을 뿐이야.

홍대　　　사기 치면 잡혀가는 법도 알았어야지. 내가 언제까지 수습해?

선자   그래… 생각해보면 우린 정말 보통의 모자 관계가 아니었지…. 다른 집은 엄마가 하라는 대로 하면 탈 없이 잘 사는데. 너는 엄마가 하라는 건 다 반대로 해서 그나마 이 정도라도 된 거잖아.

홍대   본능적으로 알게 된다, 엄마가 엄마면.

선자   그래…. 너… 정글 가. 예능해라. 연기도 하고, 응? 축구는 개뿔…. 열라게 뛰다가 그물에 공 한 번 집어넣고 그게 뭐 좋다고 미친놈처럼 팔짝팔짝 뛰는 거, 하지 마. 연예인 해. (일어나 주방으로 향하며) 아이고… 내가 요리했으니까 설거지는 내가 할게.

홍대   ….

선자의 속뜻을 눈치챈 홍대.
가만히 영상 속 과거 자신의 모습을 바라본다.
8년 전 축구를 하며 행복해 보이는 홍대의 모습….

홍대   하… 인생 참… 그지 같네….

팀원들을 인솔하는 인국. 팀원들은 모두 새 국가대표 유니폼을 맞춰 입었다.

옷을 만지작거리며 좋아하지만 뭔가 아쉬운 표정의 팀원들.

그들을 카메라에 담고 있는 병삼, 그리고 앞서 걷는 소민의 표정이 다소 가라앉아 있다.

눈치를 보다 사기진작 차원으로 분위기를 바꿔보려는 인국.

인국   자, 자! 어려운 거 없어요. 누가 영어로 말 걸면 절대 당황하지 말고 더 크게 한국말을 해요. 그럼 상대방도 당황하겠지. 그렇게 지나치면 돼!

실패. 말해놓고도 이상한 인국…. 괜히 옆에 있는 환동에게.

인국   코치 자격으로 가시는 거예요. 경기는 절대 안 됩니다.

환동   알겠다…. 근데 참…. 이게 뭐가 이래… 허전~한 게….

효봉   아… 몰랐는데… 감독님 있고 없고 차이가 크게 느껴지네….

범수   난 별로.

영진   난… 보고 싶은데….

효봉   얄밉기도 하면서 말이지… 참….

카메라 좌우로 이동하며 팀원들을 담아내는 사이, 어느 틈에 가운데 껴서 자연스레 걷고 있는 국가대표 정장 차림의 홍대. 표정 없이 앞만 보는.
카메라로 홍대를 발견하고 게슴츠레 다시 확인하는 병삼.

문수   아, 정 없이 제치고 간 놈, 정 없이 잊어벌랑게, 나는! (말
         하는 도중 홍대 발견, 급아련해지는) 잘 있었어요? 얼굴이 좋네.

문수의 반응과 동시에 홍대를 발견하곤 화들짝 놀라 갈라지는 팀원들.
소리에 돌아보는 소민. 국가대표 정장 차림의 멍한 홍대를 보며 같이 멍해지는.
홍대를 중심으로 갈라진 상태에서 그대로 걷는 모습이 마치 뮤지컬의 한 장면 같기도.

소민   (진지하게 궁금한) …정장을 입었어.
홍대   (무표정. 그저 앞만 보고 걷기만)
범수   (눈은 마주치지 못하지만 힘줘) 어디 정글 가는 길인가?!

인서트. 김 대표 사무실
통유리 앞에 서서 핸드폰을 보고 있는 쓸쓸한 김 대표의 뒷모습.
홍대의 카카오톡 내용을 보면, '나쁘게 살자, 우리. 나쁘게.'
긴 한숨을 내쉬고 핸드폰을 집어던지는 김 대표.

소민	…혼자 정장을 입었어. 양말까지 깔을 맞췄어!
홍대	(무표정. 그저 앞만 보고 걷기만)

그제야 슬슬 웃음 짓기 시작하는 팀원들, 인국.

기분 좋게 걷다가 늘 조용하던 영진이 "대한민국"을 선창한다.

무표정. 그저 앞만 보다가 설마 하는 눈빛으로 영진을 보는 홍대.

그 설마 하는 대한민국 응원. 박수 치며 외치는 팀원들. "대~ 한. 민. 국!"

짝짝짝짝짝….

좋다고 무빙까지 넣으며 찍는 병삼과 여전히 홍대의 정장을 강렬하

게 바라보는 소민.

그저 앞만 보고 걸어가는 홍대. "대~ 한. 민. 국!" 짝짝짝짝짝!

그 응원 소리가 디졸브되며….

코파카바나 해변 전경. 요란한 응원 도구들의 소리가 선행된다.

광장 앞. 각 나라 팀들이 자국의 국기를 흔들며 행진하고 있다.

춤을 추며 노래를 하는 등 자유롭고 흥에 겨운 분위기의 선수들.

수많은 행렬 가운데 태극기가 보이기 시작한다.

팀원들이 나란히 서서 깃발을 들고 대한민국 박수를 치며 행진하고 있다.

모처럼 아이같이 웃는 인선에게 자기 선글라스를 끼워주는 홍대.

소민이 그 모습을 찍고 있는데 연기처럼 느껴지지 않는다.

외국인들과 하이파이브, 크로스 등을 하며 즐기는 팀원들.

네 개의 작은 경기장 주변을 가득 채운 관객들이 피리 등을 부르며 국기를 흔들고,

흥겨운 개막식 영상들이 빠르게 흐른다.

경기장엔 유럽 팀들 간의 경기가 한창이다.

관중들 모두가 즐겁게 응원하는 사이에 나란히 앉아 있는 팀원들의 표정이 전 씬과 다르게 굳어 있다.

외국 선수들의 경기 내용을 보면 젊은 나이, 건강한 체구에 힘과 스피드까지 어딜 봐도 홈리스 같지 않다. 그들의 무시무시한 슈팅과 몸싸움을 보며 움찔움찔하는 팀원들. 당황스럽긴 인국과 홍대 역시 마찬가지다.

효봉	뭔가… 잘못된 거 같은데….
환동	저기… 이거 노숙자 대회라고 안 했나?
범수	쟤 방금 살짝 날았어.
인국	철수… 철수! 돌아갑시다!
홍대	아, 쫄 것들 없어요! 그래 봤자 공이야. 맞아도 안 죽어!

그때, 관중들의 아찔한 탄성이 터진다.

보면, 공격수의 공에 맞고 기절한 외국인 선수가 들것에 실려 나가고 있다.

장내 아나운서	(영) 독일 공격수의 강력한 슈팅에 얼굴을 맞았습니다. 일어날 수 있으면 좋겠는데요!

얼음이 된 팀원들…. 홍대, 아무 말 하지 않는다….

경기장 / 낮

코스타리카 선수단과 나란히 선 대한민국 국가대표팀.
<애국가>가 흐르고 화면에 뜬 태극기를 보며 <애국가>를 따라 부른다.
뭔가 어색한 감동이 밀려온다.
시간 경과.
팀원들 한데 모여 보호대를 끼고 있다.
처음 보는 물건에 헤매다 정강이 보호대를 거꾸로 끼는 효봉.
홍대가 나서서 하나하나 교정해주거나, 끈을 묶지 못하는 인선의 축구화를 묶어준다.
건장한 코스타리카 선수들을 보며 다들 긴장한 기색이 역력하다.

홍대   첫 경기는 몸 푼다고 생각합니다. 어차피 질 거니까 부
         담 갖지 말고.

골키퍼 문수, 수비수 효봉과 영진, 공격에 인선, 선발 라인업이다.

장내   (영) 코스타리카와 한국의 경기가 시작됐….

골!! 코스타리카, 경기가 시작함과 동시에 골을 성공시킨다.

순간, 입 벌어진 소민은 병삼에게 반대로 가서 촬영하라고 지시하곤 카메라를 줌한다.

보면, 자빠져 있는 효봉과 영진의 표정에 영혼이 없다.

맥 빠지는 인국과 환동, 어찌할 바를 몰라 홍대를 보면, 팔짱 끼고 흔들림 없이 경기를 지켜보는 홍대. 무슨 생각이 있는 거겠지 믿어보는 인국과 환동.

다시 경기가 시작된다. 자빠지고 공에 맞아 쓰러지고, 그나마 공 몇 번 잡아보지도 못한 채 건장한 체구에 밀려 쫓아다니기도 버거운 경기가 계속된다.

금세 다리를 저는 효봉을 범수와 교체해주는 홍대.

범수는 어느 때보다 정신을 바짝 차리고 달려들지만 코스타리카 선수 등에 치여 자빠지기 바쁘다. 1 대 0…. 2 대 0…. 3…. 4…. 5…. 6 대 0. 전반 종료.

CUT TO

한국 팀 벤치. 거의 주저앉은 팀원들. 깊은 패배감이 드리워 있다.

인국   자, 자, 6 대 0 접전이에요. 저쪽 팀도 긴장하기 시작했어!

결코 호응받지 못하는 인국의 괜한 말.

환동 역시 별다른 할 말을 찾지 못하고 있고,

인선은 고개를 깊이 숙였다 올리는 이상 행동을 하고 있다.

소민은 그런 팀원들을 카메라에 담으면서도 팔짱을 낀 채 깊은 생각에 빠진 홍대를 보며 기대를 걸어본다. 모두의 시선이 소민의 카메라를 따라 홍대에게 향한다.

홍대   (깊은 생각을 마친 후) 좋아. 결론은 하나야.

모두의 시선이 홍대를 신뢰하기 시작한다.

홍대   저들은 생각보다 강해.

그 말을 끝으로 대기 천막 아래 긴 적막이 인다.

소민   그… 그래서?
홍대   그렇다고.
소민   …그게 다야?
홍대   (다부지게 끄덕)

짧은 탄식과 함께 수긍하는 팀원들.

소민   야!! 저들은 생각보다 강해! 그딴 말 할 거면 나도 감독
        하겠다!
홍대   어이구 하시구랴. 못 하게 했냐, 내가!
소민   그냥 전화로 말하지 그랬어? 여기까지 와서 뭐?!! 저들

은 생각보다 강해?!! 그게 끝이야?!!

홍대   야! 저렇게 잘한다고 왜 말을 안 했어?!!

소민과 홍대를 말리는 인국과 환동.

소민   (저… 개… 씨앙…) 니가 알았어야지!! 니가 감독인데!!

홍대   니?!! 니이?!! 너 말 다했니이? 니이?!!

효봉의 인터뷰 화면 인서트

효봉   내가 봤을 때 외국 홈리스들은 정부에서 고기를 지원
             받는 거 같습니다….

CUT TO

후반전이 시작된다. 더욱 힘이 달리는 팀원들. 안타까워하는 관중들.
그나마 우울증에 정신 나간 듯한 문수가 몇 차례 골을 막아내지만,
강슛에 얻어맞은 몸은 더욱 너덜너덜해지는 듯하다.
보다 못한 코스타리카 선수들, 나중에는 살짝 봐주는 듯 공을 흘려
줘보지만, 이미 자신을 잃은 인선은 터무니없이 빗나가는 슛을 하고
만다.
그저 차례로 교체해주는 것 외에 아무것도 할 수 없는 홍대.
결국 9 대 0으로 경기가 끝난다. 거의 쓰러질 것 같은 문수를 심판이
안아줄 정도로 심각한 팀원들의 상태.

관중들은 위로의 박수를 보낸다.

장내   (영) 9 대 0. 코스타리카의 완승입니다. 한국 팀 또한 처
         음 출전에도 불구하고 첫 경기를 끝까지 아름답게 마
         쳤습니다!

짐을 꾸리는 팀원들. 우울한 분위기.
인국은 다친 부위에 약을 발라주거나 밴드를 붙여주기 바쁘다.

홍대   기죽지 맙시다. 우린 계획대로 진 거야. 작전대로 된 건
         데, 뭐?

농담이라고 했지만 별로 웃지 않는 팀원들.

다른 경기가 진행되고 있고, 인국과 소민의 인솔로 경기장을 빠져나
가고 있는 팀원들.

맨 뒤에 처져서 따라가던 인선이 다른 경기의 함성 소리에 돌아본다.

순간, 무엇을 봤는지 걸음을 멈춰 선 인선. 그의 시선을 따라가 보면,
일본 팀원들이 줄지어 어딘가로 향하고 있는데….

일본 유니폼을 입은 한 여자 선수의 얼굴이 가까워진다…. 경진과 너
무 닮은 일본 여자 선수.

한동안 멍하니 서서 그녀를 바라보는 인선. 정신이 혼미해지는 듯 보
인다.

대회 관계자와 영어로 대화를 나누고 있는 소민.

셔틀 버스 대기하며 인원을 체크하는 인국. 한데 인선이 보이지 않는다.

인국   인선이 못 봤어요?

홍대   아… 나…. 꼭 한 명씩 없어지는 사람 있지….

그때 먼발치서 어떤 소란이 인다. 무슨 일인가 보면, 싸움이 일어난 듯하다.

경진을 닮은 일본 여자 선수가 크게 놀란 듯 동료 선수 품에 있고,
다른 남자 선수들이 인선을 밀어내고 있다.

인선   저기… 안 되는데…. 저기….

넋이 빠진 듯한 인선의 이상 행동이 계속되고, 결국 일본 선수가 인선
의 턱을 후려친다. 그대로 나자빠지는 인선.
놀라는 사람들을 비집고 들어오는 홍대와 인국.
인국은 일본 선수를 뜯어말리고, 홍대는 인선을 부축한다.

인국   쏘리!! 쏘리!! 마이 보이!! 일니스 오브 더 마인드!!
홍대   뭐하는 거야, 인마, 너!!

뒤따라온 팀원들이 일본 선수들을 달래기 시작하고, 상황을 파악한
소민이 일본 여자 선수에게 가 사정을 설명한다.

소민   도우모 스미마센 카레니 지조가 스코시 아리마스….

말리는 팀원들을 밀쳐내고 경진에게 가려는 인선의 따귀를 때리는
홍대.

홍대	정신 차려, 인마!! 누가 때렸어? 누가 때렸어?!
환동	(홍대 말리며) 거, 거, 자기가 때리고 있잖아…!
홍대	(일본 선수 가리키며) 저 새끼야? 저 개새끼야?!! 저 씨앙노무 새끼가 가정교육을 매달려서 받았나. 일루와, 이 새끼야!
소민	아노 히토와 와타시다치노 티무데와 나이. 츠카 바카데스….

이제 홍대까지 말려야 되는 팀원들. 눈물을 흘리기 시작하는 인선.
웅성거리는 사람들에게 둘러싸여 더욱 상태가 안 좋아지는 인선을
반쯤 끌어안고 어지러운 곳을 빠져나가는 범수.

76 공동 숙소 앞 / 밤

각국 홈리스 선수들의 환영 파티의 밤. 바비큐와 맥주, 그리고 음악이
넘친다.
외국 선수들은 특유의 춤을 추며 축제를 만끽하고 있다.
외국 선수들과 잘 어울리며 열심히 춤추고 있는 범수, 효봉, 문수, 영진.
한쪽에 우울하게 앉아 있는 인선과 그 옆에 어깨동무하고 앉은 환동.

77 숙소 안 / 밤

창밖 아래 파티 풍경과 인선을 내려다보고 있는 홍대, 복잡하다.

짧은 한숨 후 뒤돌아 창가에 걸터앉으면,

방 안에 소민과 인국, 병삼이 그리 좋지 않은 표정으로 둘러앉아 있다.

소민   앞으로 남은 경기가 열 게임. 대부분 유럽 팀. 아니, 한 골도 못 넣어, 어떻게? 응?

홍대   사연 보고 선수 뽑은 사람이 누군데?

소민   누가 우승하래? 1승은 해야 할 거 아니야? 주야장천 깨지는 거 찍어가서 뭐해?

인국   죄송합니다. 저희가 처음이라 이 정도인 줄 모르고….

소민   어이, 감독! 작전을 짜, 작전을!

홍대   작전이라는 건 전술이 통할 만한 팀을 상대로 하는 거야!

소민   (급애국심) 330척 왜군의 배를 무찌른 이순신 장군의 배는 열두 척이었어!

홍대   졸라 쌩뚱맞은 거 알지, 지금?

소민   (급인정) 그건 그래. 아… 씨…. 아, 한 번만 이겨! 두 번도 안 바래!

홍대   아, 그럼 직접 뛰어.

인국   아, 룰을 보면 여자 선수도 함께 뛸 수 있긴 합니다.

소민   확 그냥….

인국   그… 사실 저도 이기고 싶어요. 이기는 것까진 아니더
       라도… 포기하지 않고 하다 보면… 한 번쯤 비겨볼 수
       도 있겠지… 그러다 한 번쯤 이겨볼 수도 있는 거겠
       지… 경기장 안으로 들어가는 게 무서운 건 아니게
       끔… 여기까지 왔는데… 딱 그 정도만….

생각이 많아지는 홍대와 소민.

아직 우울하게 어깨를 숙이고 있는 인선. 앞머리가 길게 내려와 얼굴
을 가리고 있다. 그의 앞에 다가선 누군가. 환동이 툭툭— 인선의 어
깨를 치면, 고개를 드는 인선.
앞을 보면, 일본 여자 선수(유미. 20세 중반)가 선하게 웃으며 서 있다.
깜짝 놀라 시선을 피하는 인선.

유미   (일어) 안녕. 난 유미라고 해. 네 얘기 들었어. (상처 보며)
           괜찮아?
인선   … (알아들을 수 없다) ….
유미   왓츠 유어 네임?
환동   (인선 가리키며) 인선. 김인선. 하하하.
유미   인선. 셸 위 댄스?

유미, 환하게 웃으며 인선의 손을 잡아끈다.
버티는 인선을 밀어버리는 환동.
유미에게 이끌려 손 마주 잡고 흥겨운 음악 속으로 들어가는 인선.
인선과 마주 보고 밝게 웃어주며 몸을 흔드는 착한 유미.
고개를 제대로 들지 못하지만 힐끗힐끗 유미 보며 기분이 좋은 인선.
한쪽에 흑인들과 신중하고도 격렬하게 춤사위를 벌이고 있는 범수.

팔에 붕대를 감고 멍하니 앉아 있는 범수.
그를 빙그레쌩 미소로 내려다보고 있는 홍대.
범수 옆에 나란히 앉아 있던.

효봉	괜찮아. 니 잘못 아니야.
홍대	선수가 춤추다가 부상을 당했는데 누구 잘못일까요, 그럼.
효봉	아… 니 잘못이구나…. 근데 애 빠져도 전력엔 차질이 없어.
범수	(이 새끼가…)
홍대	아, 우린 교체 멤버가 없잖아요! 오늘 두 경기라고!

주최측 천막 쪽에서 관계자와 뭐라고 대화를 나누고 있는 소민.
알았다며 고개를 끄덕이더니 홍대와 인국, 병삼이 있는 쪽으로 바삐
걸어온다.

소민	교체 선수 모자란 나라는 현지 용병 두 명까지 쓸 수 있대.
홍대	브라질 선수를?
소민	그렇지.

관계자가 브라질 용병 두 명을 데리고 온다. 젊고 탄탄한 흑인들.
관계자가 간단하게 이름을 소개한다.

소민   계속 교체해서 투입하면 비등비등하게 할 수 있어.
홍대   니가 감독해. (용병들에게 소민을 소개) 하이. 디스 이즈 어
             코치.

80   경기장 / 낮

철썩―. 거세게 그물망을 가르는 축구공.

장내   (영) 골! 한국 팀이 투입한 브라질 용병이 벌써 두 골째!

한국과 뉴질랜드의 경기지만 한국 팀은 인선과 브라질 용병 2명이
뛰고 있다.
자기끼리 하이파이브하는 브라질 선수를 그저 맥없이 바라보는 홍대
와 인국.
…반칙 세트피스 상황에서 용병 1의 패스를 받고 겨우 슈팅을 날려
보는 인선.
하지만 골키퍼의 펀치에 날아가는 공. 논스톱 발리슛으로 성공시키

는 용병 2.

장내   (영) 어마어마한 슛입니다! 역시 브라질 선수! 브라질은
              전 국민이 축구 선수예요!!

…인선이 수비에게 쩔쩔매며 자리도 찾지 못하는 사이, 1 대 1 패스
를 주고받으며 다시 골을 성공시키는 용병 2.

장내   (영) 5 대 1! 골이 쏟아지고 있습니다! 하지만 한국 선수
              의 골은 없습니다!

심판의 휘슬과 함께 전반전이 종료되자, 심판에게 뛰어나오는 뉴질
랜드 벤치.
브라질 선수들이 거의 모든 시간을 뛰고 있다며 항의한다.
자기들은 한국 팀과의 경기에 온 것이라며 용병을 제한할 것을 요구
한다.
자기 권한이 아니라며 고개를 젓는 심판.
한국 팀 벤치. 카메라를 들고 있는 소민의 뒤를 하릴없이 서성이는.

홍대   (소민에게) 어떻게? 루저들이 승리하는 모습은 잘 나오
              고 있나?
소민   (짜증) 아, 한 명씩만 투입하면 되잖아.

CUT TO

용병 1, 영진, 인선이 후반 선발로 뛰고 있다.

뭔가 위축된 인선과 영진은 실수를 반복한다.

공을 빼앗은 용병 1이 달려가는 인선에게 패스하지만, 앞만 보고 달리던 인선은 공을 밟고 넘어지고 만다.

그 틈을 타 공을 뺏은 뉴질랜드 수비의 패스를 받은 공격수가 골을 성공시키자 그제야 환호하는 관중들. 5 대 2.

장내   (영) 이제 뉴질랜드의 반격이 시작됩니다!

하지만 바로 반격한 용병 1이 혼자서 골을 터트리고. 6 대 2.

장내   (영) 아, 하지만 브라질의 개인기엔 어쩔 수 없는 건가요?!

벤치에서 지켜보던 팀원들, 박수는 치지만 슬슬 관중들의 야유 소리가 커지고 있다.

장내   (영) 관중들도 뭐가 잘못된 건지 알고 있는 듯하네요!

…뉴질랜드 선수가 영진을 제치고 슛을 성공. 6 대 3.

영진이 빠지고 용병 2 들어온다. 용병 1 빠지고 효봉이 들어온다.

…인선이 회심의 슈팅을 날리지만 벽에 크게 튕겨 나오는 볼.

용병 2의 화려한 개인기와 함께 슛 성공!

장내   (영) 결국 7 대 3으로 한국과 브라질 연합팀의 승리! 아,
           뉴질랜드 벤치, 계속해서 항의하네요. 하지만 경기는
           끝났습니다.

결국 7 대 3으로 경기가 끝나고.
관중들의 야유에 팀원들은 크게 위축되고.
경기장을 빠져나가는 내내 팀원들의 귀엔 그 소리가 비이상적으로
크게 들린다.
그 모습을 보고 있는 홍대의 표정이 뭔가 개운치 않다.
카메라를 들고 있던 소민의 손이 힘없이 내려간다.

대기 천막 / 낮

인국은 늘 그렇듯 선수들의 다친 곳에 약을 발라주고 있다.
패잔병의 모습으로 축 처진 팀원들의 모습. 할 말 없는 소민.

홍대   다음 경기 독일. 강력한 우승 후보.
          어제 걔들 하는 거 봤죠? 공 맞은 선수 기절하고.
인국   애매하네요…. 우리 선수로만 하자니… 나머지 경기
          다 못 마칠 것 같고…. 어떡… 하는 게…?

인국을 비롯, 팀원들 모두 홍대를 바라본다.
잠시 생각하며 팀원들을 둘러보는 홍대.

홍대   이겨야 하면… 난 당연히 브라질 용병 씁니다.

쓸쓸하지만 할 말이 없는 소민과 인국, 그리고 팀원들.
어쩔 수 없이 수긍하는 분위기로 침체되어가는데….

홍대   근데요, 여기 뭐 우승 생각하고 온 사람이 있나? 이
          기면 1승, 2승, 몇 대 몇, 뭐 그런 숫자들이 기록으로 남
          겠지. 근데 그거 남겨서 어따 쓰게? 그 기록 가지고 뭐
          연봉 협상 할 거야, 우리가?

일동   ….

홍대   기록을 남기러 왔는지 기억을 남기러 왔는지… 자, 그
          건 선수들이 판단합니다.

팀원 일동, 잠시 생각에 빠진다. 살짝 놀란 소민과 병삼.

병삼   (소민에게 귓속말) 대사 써줬어?

소민   아니….

잠시 아무 말 없는 팀원들….

인국은 홍대가 고맙게 느껴진다. 그저 팀원들의 반응을 기다린다.

병삼이 찍고 있지만, 뭔가 다른 기운을 느끼기 시작한 소민도 카메라
를 연다.

영진   해보고 싶어요. (일동 영진을 보면) …이겨보고 싶어요.

홍대   (혼잣말) 그렇지….

조금씩 힘이 들어가는 팀원들의 눈빛.

영진   어떻게든 뺏어서… 인선아, 너 줄게.

인선   (일어서다) 크로스….

효봉   우리가 합시다.

범수   (벌떡) 어이! 나 뛸 수 있다니까!

홍대	(그러든지…. 끄덕끄덕)

슬슬 웃음 짓기 시작하는 인국.

문수	(우울증 팽개치고) 해볼랑게!! 내가 다 막아벌랑게!! 빠칭!!
환동	파이팅하는기라! 독일 마 허여멀게서 별기 아이다!
범수	하자! 독일 전차 군단? 우린 인생 막차 군단이다!!
효봉	그건 아니지, 빙신아….
범수	나한테만 지랄이야!
홍대	그럼 가봅시다!

홍대의 모습을 카메라에 담으며 슬쩍 미소가 새는 소민.

홍대를 중심으로 모인 팀원들.

긴장하는 눈빛 속에 사기 또한 서서히 올라가고 있다.

홍대는 병삼의 카메라를 재생해 인선에게 보여주고 있다.

홍대	자, 봐봐. 김인선, 똑바로 봐, 인마. 자, 너가 슛을 쐈어. 실패했네? 그리고 너 어떻게 하고 있어? 봐봐.
인선	(머리를 쥐어박고 돌아서는 자신의 모습을 가만히 본다)
홍대	안 들어가도 돼! 봐. 튕겨 나온 공 어떻게 됐어? 브라질 애가 뛰어가서 슛 만들지? 이게 리바운드야. 리바운드를 지배하는 자, 경기를 지배한다!
인선	지배한다….
홍대	(작전 보드판을 펼치며) 봐요. 우리 연습했던 거야. 꿀리지 말고 선빵 날립니다. (첫 공격 작전을 지시한 후) 오케이?
일동	오케이!
홍대	넘어지고 다시 일어서라고 안 해요! 넘어지면 발 걸어서 자빠트려! 같이 넘어져! 그렇게 하는 거야, 원래!

아~. 뭔가 큰 깨달음을 얻은 듯한 천진한 영진과 효봉, 범수의 표정.

홍대	자! 나갑시다!!

심호흡하며 뛰어나가는 선수들에게 열렬히 박수 쳐주는 인국과 환동.
병삼과 소민, 양쪽에서 사인을 주고받으며 카메라 포지션을 잡는다.
독일 선수들과 마주 선 팀원들. 한눈에도 체격 차이가 상당하다.

장내   (영) 오전에 브라질 용병을 투입해 1승을 거뒀던 한국
            팀이 나왔습니다! 일단 선발은 전원 자국 선수들입니
            다! 뭐 금방 또 바꾸려나요? 전반전이… 시작됩니다!!

골키퍼 문수, 수비 영진과 효봉, 공격에 인선이 선발로 나선다.
휘슬과 함께 공격을 시작하는 대한민국.
홍대의 작전 지시에 따라 성실히 이행하는 팀원들.
날렵한 인선이 패스를 받아 강한 슈팅을 한다.
공은 떠버리지만 보는 이들 모두 공격적인 인선의 모습에 경탄한다.
왠지 재미있어지는 홍대. 그리고 소민 역시 놀랐는지 뷰파인더에서
눈을 뗀다.

장내   (영) 오우!! 한국 팀 세 경기 만에 처음으로 선제 슈팅이
            나왔습니다!

독일의 공격이 시작되는데 이들의 힘이 근접할 수준을 넘어선다.

공을 뺏으려 달라붙은 인선은 스스로 튕겨 나가 벽에 부딪치고, 효봉과 영진 차례로 넘어진다.

독일 공격수의 강슛에 몸을 날리는 문수. 손에 맞았지만 굴절되고 얼굴까지 강타하곤 그래도 골대 안으로 빨려 들어간다. 1 대 0.

독일의 강력함에 잠시 어리둥절한 팀원들. 괜찮다고 소리 지르는 홍대와 인국.

…계속해서 독일의 슈팅에 몸을 맞는 효봉과 영진.

손이 꺾어진 효봉이 잠시 고통의 신음을 내뱉지만 이내 괜찮다며 일어선다.

…다시 독일 선수에게 밀려 넘어지는 영진.

홍대   넘어지면 다리 걸어버리라고!!

이를 악물고 따라가다가 또 밀려 자빠지는 영진, 홍대의 말대로 다리를 걸어보지만 꿈쩍도 안 하고 오히려 발을 밟혀 고통의 소리를 내지른다.

독일의 슛 성공. 2 대 0.

고통을 호소하는 영진을 살피기 위해 심판이 달려오자 괜찮다며 겨우 일어서는 영진. 그의 머리를 다독이듯 툭툭— 치는 독일 선수.

영진도 서양식으로 독일 선수의 머리를 툭툭 친다. 근데 좀 세다. 살짝 당황하는 독일 선수.

홍대   수비 들어가, 수비!!!

독일 선수를 놓친 효봉. 득달같이 달려가 강슛을 날리는 독일 공격수.
문수는 재빨리 손을 뻗지만 복부에 맞고 굴러간다.
공격수가 다시 달려드는데 복부의 고통을 참고 공을 끌어안는 문수.
관객들이 박수 쳐주기 시작한다.
문수가 연속해서 독일의 슛을 온몸으로 막아낸다.
여기저기 공에 얻어맞고 독일 선수들과 부딪혀 골대에 머리를 박는
등….

장내   (영) 한국의 골키퍼가 온몸을 던져 골을 막아내고 있습
            니다!! 골키퍼의 몸이 부서져가며 무려 3분 동안 무실
            점하는 한국 팀!!

관중들이 슬슬 문수의 편이 되어 환호한다.
부들부들 떨리는 손으로 공을 들고 선 문수, 있는 힘을 다해 공을 찬다.
이미 달리고 있던 인선의 논스톱 슛!

홍대   (그렇지!!!) 달려들어!!!!

슛과 동시에 달려 들어가는 인선! 벽을 맞고 튀어나온 공을 다시 잡
아서 슛!!
이번엔 정확했지만 골키퍼의 선방으로 실패한다.

홍대   좋아!!!! 잘했어!!!!! 그거야!!!!

기도를 하며 좋아하는 인국의 모습…. 목이 쉬어라 "대한민국"을 외치는 환동.

관객들의 함성 소리가 점점 커져가고 있다.

…효봉과 영진이 공격수 한 명에게 붙지만 바로 슛을 날리는 독일 공격수. 성공. 3 대 0.

열심히 뛰어다니며 경기 장면을 카메라에 담아내고 있는 소민. 숨이 차다.

그 와중에 멀리 있던 병삼에게 위로 올라가 찍으라고 지시하는 소민. 냅다 단상 위로 뛰어 올라가는 병삼.

가쁜 숨이 벅찬 팀원들, 모두 서로 괜찮다며 위로한다. 고개를 숙이지 않고 있다.

인국   봐요…. 저거 봐요…. 와하하하!!!

홍대   (환한 미소) 디펜스!!! 들어가야지!!!

…하지만 다시 한 골 먹고 마는 대한민국. 4 대 0.

팀원들의 거친 숨이 경기장 밖까지 느껴진다.

인국   바꿔줘야 돼요. 풀타임은 못 합니다!

홍대, 어쩔 수 없다는 듯 뒤에 앉아 있는 브라질 용병들을 보는데…

범수가 스윽— 막아선다. 고민하는 홍대.

…몸을 푸는 범수. 슬쩍 옆의 홍대를 흘긴다.

범수   혹시 내가 잘못되더라도⋯ 진주 씨는 안 된다.

홍대   아 거, 끈질기네⋯. 나가요!!

"우와!!" 소리 지르며 나가는 범수, 효봉과 터치한다.

⋯독일 공격수를 악착같이 따라가는 범수.

오호~. 범수의 파이팅에 눈이 커지는 홍대.

범수, 밀려 넘어질 것 같으면서도 억세게 버티며 따라붙는데 역부족이다.

결국 넘어지지만 그와 동시에 바로 다리를 걸어 자빠트리는 범수.

홍대   그렇지이이이이!!!

범수   내가 자빠트렸어!!

범수, 벌떡 일어나 포효한다. "으아아아!!!!" 같이 소리 지르고 있던 홍대와 충동적인 하이파이브!!! 하곤 이놈은 아니라는 듯 돌아서는 범수.

그에게 경고하는 심판. 그래도 좋다고 서로 격려하는 팀원들.

팀원들을 불러 모으는 홍대. 둘러 모인 팀원들에게 작전을 지시한다.

장내   (영) 오호호호호!!!! 대단합니다! 투지가 대단합니다!! 한국 팀! 하지만 이쯤 해야 할 것 같은데요⋯. 이미 모두 절뚝거리고 있어요!

⋯모처럼의 기회에 영진이 슛을 날리고 골키퍼가 펀칭한 공을 인선

이 달려가 슛!!

하지만 골키퍼 키를 넘기고 만다…. 전반 종료 휘슬!!

바닥에 고개를 박고 일어서지 못하는 인선. 안타깝게 바라보는 홍대.

대기 천막 / 낮

만신창이가 된 팀원들을 치료하고 있는 인국. 여전히 고개를 숙이고 있는 인선과 고통스러운 표정으로 파스를 뿌리고 있는 문수.
그 모습을 카메라로 찍기가 괜히 미안해지는 소민.

소민   하… 내가 이기라고 부추겼다만서도… 남은 경기는 다 해야죠. 이렇게까지 안 하셔도 돼요.

인국   그래, 그래, 잘했어요! 잘했어, 이미! 후반은 용병 쓰죠, 감독님.

홍대   … (팀원들 몸 상태를 보니 고민) 그럼….

인선   경진이가 봐요! (시선 모이자 주춤하다가) 나… 나는 빠지기 싫어요.

효봉   …은혜한테 보여줘야 돼. 할 수 있다, 난. 안 뿌러졌다, 아직!

범수   따뜻한 데서 재워야 할 사람 있어…. 그 사람이 축구 좋아해.

문수   (눈빛 변하는) 나 깡패였어! 사람 치고 살다가 집안 거덜 냈어! 이제 뽈 차고 살라니까. 다 덤벼!

영진   저 게이예요. 남자를 좋아합니다.

화들짝 놀라 물러서는 문수. 잠시 일동 정적.

덤덤한 반응들 가운데 유독 움츠러든 문수.

인서트
영진과 문수가 등을 밀치는 훈련 중.

영진의 눈빛이 호기롭다.

영진 아버지가 쇼크로 쓰러지시고… 못 일어나셨어요. 무
    섭고 미안해서 아무것도 안 하고 살았는데… (이 악물고)
    근데 내 문제가 아니잖아…. 그걸 문제 삼는 세상이 문
    젠 거 아니야!!

순간, 피식― 웃음이 나는 소민과 홍대의 시선이 마주친다.
순간, 서로와 서로를 쳐다보며 웃기 시작하는 팀원들.

홍대 (박수 치며) 멋있다! 아주 그냥 뒤처지는 사람이 없네!
효봉 (벌떡) 그래! 대한민국 팀 여기 있다! 용병은 무슨!
일동 가즈아! 우리가 하즈아!! 가즈아!
홍대 문수 형님은 쉬세요.
문수 (잉?) 갠찬탕게!

홍대, 문수에게 다가가 아픈 곳을 만져준다. "으아아악―." 소리 지르
는 문수.

홍대	(문수에게) 할 말 있어요?
문수	…(우울…) ….
홍대	잘한 거예요. 오늘 제일 잘했어.

고개 숙인 채 씨익— 웃는 문수.
영진이 다가와 위로하듯 문수를 쓰다듬어준다. 움츠러드는 문수.
홍대가 일어서 뭔가 말하려고 하는데… 환동이 다가선다.

환동	윤 감독, 나 뛰게 해줘….
인국	안 돼요!
환동	(발을 구르며) 괜찮다! 정말 괜찮다! 골키퍼 정도는 몬 하겠나, 내가! 나… 할 수 있다!
홍대	골키퍼가 그냥 서 있는 거 같아요? 저게 젤 힘든 거야.
환동	어떻게든 해보자. 해보자, 한 번.

가만히 팀원들을 둘러보는 홍대.
여전히 자신 있게 시선을 마주치지 못하는 팀원들이지만…, 여전히
다른 곳에 둔 시선이지만, 그 눈빛에서 이전과 다름을 느낀다.
할 수 있다, 어쩌면 다시 할 수 있겠다 싶은… 의지.

홍대	… 후… (갑자기 파이팅 넘치는 기합 소리를 내뱉는) 으아아아 압!!!

홍대, 시선이 몰리자 씨익— 웃어 보이곤 이내 다부진 눈빛으로 돌변하며.

홍대   모여봅시다.

어깨를 두르고 둥글게 모여 허리를 숙인 멤버들.

홍대   지금까지 힘들었을 거고, 다시 경기장으로 들어가면 또 힘들 거고! 더 힘들 수도 있어요. 그래도! 우리가 지금! 당장! 왜 뛰려고 하는지! 알려줍시다! 우리도 뛸 수 있다는 거! 우리도 경기장 안에 있다는 거! …보여줍시다. 보여주자, 젠장!!

모두   아자아아아아!!

홍대   이거 뭐 이겨도 포상금도 없고!! 몸만 디지게 부서지는 거예요! 상관없어요?!!

모두   상관없다!!!

홍대   나 진짜 너덜너덜해져도 교체 안 해! 상관없어요?!!

모두   상관없다!!!

홍대   손 모아!

"한국! 한국! 한국!" 두 팔 빈찍 들어 파이팅을 하고 힘차게 뛰어나가는 멤버들. 선수들보다 더욱 오버하며 소리 지르는 인국과 소민과 병삼. "으어어어어어~~!!!!"

서로 오버하며 악을 지르다 눈 마주치고 깜짝 놀라는 인국과 소민.

경기장 / 낮

경기장으로 걸어 나오는 팀원들의 표정이 나름 비장하다.

장내   (영) 아, 후반전도 용병 없이 나오는 한국 팀! 많이 지쳤
         을 텐데요, 오히려 분위기는 더욱 강해진 느낌입니다!

…경기가 시작된다.
파이팅 넘치게 달라붙지만 경기 내용이 크게 달라질 순 없다.
하지만 전반보다 더욱 거세게 압박하고 있다.
넘어지면 일어서고 넘어지면 일어선다.
환동은 손으로 막는 것보다 몸으로 맞아가며 막는 볼이 더 많다.
독일 선수들, 골을 성공시키지만 전보다 힘겨워하고 있다. 5 대 0.

…벤치에서 홍대와 인국이 애타게 경기를 지켜보고 있다.
홍대는 체력 안배를 위해 인선을 불러들이고 범수를 투입한다.
몸으로 강슛을 막아낸 환동. 관중들의 안타까운 탄식이 경기장을 메
운다.

걱정스러운 표정이지만 그런 관중들을 향해 카메라를 돌리는 소민.

환동은 손을 위로 올리지도 못할 만큼 힘겨워하고 있다.

인국이 교체 의사를 묻는 사인을 보내지만 절대 싫다는 듯 강하게 고개를 젓는다.

…악바리같이 달려들어 슛을 날리는 영진. 튕겨 나오는 볼을 그대로 슛하는 효봉.

골키퍼가 다시 쳐낸 공을 범수가 독일 수비를 밀어내고 달려가 슈팅한다.

관중들의 환호 소리가 더욱 커져가고 있다.

장내   (영) 대단합니다!! 대단합니다!! 앞선 두 경기에서 한국
            팀의 이런 경기를 본 적이 있었나요?!

…벤치. 조마조마하며 경기를 지켜보던 인선에게 다가가는 홍대.

홍대   인선.

인선, 고개를 끄덕하고 점핑을 하며 몸을 풀기 시작한다.

홍대   잠깐… 이리 와봐.

점프를 멈추고 홍대를 보는 인선.

홍대, 뒷짐에 감추고 있던 머리띠를 인선에게 해준다.

처음 보는 인선의 시원한 눈과 이마.

홍대   자신 있게 정확하게 공을 봐. 니가 암만 최선을 다해서

              못나봤자 공보다 못할까?

인선   ….

홍대   (머리띠 툭툭 치며) 유미가 준 거다.

인선, 저 뒤를 보면 머리칼을 찰랑거리며 웃어 보이는 유미.
기분이 좋아지는 인선. 전에 없던 눈빛.
경기장을 보는 홍대. 범수가 자빠져서 또 발을 걸다 경고 당한다.

홍대   선수 교체!!! 범수, 들어오세요!! 인선, 들어가.

인선, 뒤돌아 경기장으로 저벅저벅 걸어 들어간다.
범수와 터치를 하고 경기장 한가운데 가만히 서 있던 인선….
갑자기 포효하며 괴성을 내지른다. <슬램덩크>의 황태산 같다.

인선   으아아아아아!!!!!!

믿을 수 없는 인선의 행동을 보고 입이 쩍 벌어지는 홍대와 인국, 소민, 병삼.
그리고 팀원들. 덩달아 "파이팅"을 외치며 괴성을 지르는 팀원들.
그리고 관중들의 환호와 함성이 전 경기장을 가득 메운다.

다른 경기장에 있던 관중들까지 몰려들고 있다.

장내   (영) 오오우!! 5 대 0으로 지고 있는 팀이 지칠 줄 모릅니
       다!! 포기를 모릅니다!! 이게 스포츠죠!! 대단합니다, 한
       국팀!!!!

효봉이 독일 선수에게 달려들어 공을 빼앗아낸다.
무섭게 달려가는 인선. 롱패스를 시도하는 효봉.
하지만 독일 선수가 인터셉트. 그 공을 다시 영진이 인터셉트.
"나이스 영진!!!!" 목이 터져라 소리 지르는 홍대.
영진이 패스한 공을 보고 달려가는 인선, 달려 나온 골키퍼와 강하게
부딪히며 심하게 구른다. 놀라는 관중들.
하지만 번쩍 다시 일어나는 인선. "와아아아!!"
부딪치고… 깨지고… 끝도 없이 구르고 자빠지지만 이를 악물고 다
시 일어서는 팀원들.
팔을 들 수도 없지만 얼굴로 몸으로 다리로 막아내고 있는 환동.
그런 팀원들의 모습이 이어지고… 카메라에 담고 있던 소민의 눈시
울이 붉어진다.

인국   (조마조마 안타까운) 그렇게까지… 안 해도 돼요….

엉망진창인 상황에서도 함께 함성을 내지르며 파이팅하는 팀원들.

장내   (영) 오… 말도 안 됩니다… 한국 선수들은 쓰러지지 않
          습니다! 4분 넘게 실점하지 않고 있습니다!!! 엄청납니
          다!!!

효봉의 마크를 뚫고 힘겹게 슈팅하는 독일. 악착같은 효봉과 함께 나
뒹굴고….
다시 시작되는 독일 공격. 더 악착같이 따라붙던 영진이 다리를 잡고
쓰러진다.
독일 선수의 슛은 환동의 몸을 강타하고 밖으로 날아간다. 함께 쓰러
지는 환동.
경기가 중단되자 홍대가 뛰어나가 영진의 다리를 마사지해준다.
관중석 맨 위에서 그 장면을 카메라에 담는 병삼.

홍대   괜찮아! 쥐 난 거야. 괜찮아!

인국과 홍대의 부축을 받으며 나가는 영진.

홍대   범수 형님 나와요! (뛰어나오는 범수에게) 다 쓸어버려!
범수   (달려가며) 으아아아!!!

골대를 맞고 튕겨 나온 볼을 리바운드해 바로 슈팅을 날리는 독일.
강력한 슈팅을 환동이 몸을 던져 막아내고 쓰러진다.
잠시 중단되는 경기. 효봉과 범수가 달려가 환동을 부축한다.

효봉	형, 괜찮아?!
범수	아, 고만해! 죽어!! 영진이가 나와!
환동	괘안타! 괘안타!! (일어나 홍대 쪽에 괜찮다는 사인을 보내고) 내 아무렇지 않다! 다들 힘들 내라, 마!!

서로 도닥여주는 팀원들. 관중들이 박수를 쳐주고

관중석 위의 병삼, 촬영이고 뭐고 카메라를 고정시켜놓더니… "대 ~ 한민국!" (박수) "대~ 한민국!" (박수) 부끄러움을 오롯이 자기 몫으로 가져가는 병삼.

하지만 옆에 있던 외국인들이 따라 하기 시작하고 서서히 울려 퍼지는 "대한민국" 응원 함성.

이게 뭔 일인가 싶으면서도 합세하는 인국, 홍대… 소민.

이제 경기장 가득 "대한민국" 응원의 함성이 울려 퍼진다.

주위를 둘러보는 팀원들. 한 번도 느껴보지 못한 관심… 응원….

그리고 경기 재개. 젖 먹던 힘을 쏟아 독일 선수들과 부딪힌다.

그들을 응원하고 눈물 짓고 소리 지르는 홍대와 인국과 소민, 병삼.

환동… 효봉… 범수… 인선…. 부딪히고 쓰러지는 처절하지만 포기 않는 눈빛들….

이제 외국 관중들이 먼저 "대한민국"을 외치고….

장내	(영) 믿을 수 없는 광경이 펼쳐지고 있습니다…. 이런 경우를 본 적이 있었나요, 제가? 대단합니다! 대단합니다! 시간이 얼마 남지 않았습니다! 관중들은 한국 팀의

한 골을 기다리고 있습니다. 저도 그렇습니다! 저도 외쳐야겠습니다! 대~~ 한민국!!!

마지막 공격 기회를 잡는 한국 팀. 시계를 확인하는 홍대. 그를 보는 인국과 소민.

홍대   마지막!!

손가락을 펼쳐 사인을 하면 고개를 끄덕이는 환동, 효봉, 범수, 그리고 인선.
그들이 맞춰진 합을 완벽하게 이행하고 예상 외의 백패스로 독일 팀을 속이는 효봉.

홍대   인선이 달려!!!!

그와 동시에 전력 질주하는 인선. 백패스를 받은 환동이 길게 걷어찬다.
"인선이 달려!!" 외치며 인선과 같은 선상에서 달리기 시작하는 홍대.
관중들… 인국… 소민… 모두 인선에게 시선이 쏠린다.
독일 선수와 부딪혀 넘어진 효봉도 "슛!!!!" 목이 터져라 외치고….
날아오는 공을 똑바로 바라보는 인선. 디딤 발을 딛는 인선. 그리고 홍대.
볼이 발밑에 떨어지기 직전 슛을 때리는 인선… 그리고 홍대….

장내   (영) 슈우우우웃!!!!!! 골!!! 골인!!!!!!!!!!!!!!!!

골키퍼의 양손 사이를 뚫고 정확히 골망을 뒤흔드는 골!!
미친 듯 함성을 내지르는 인선과 홍대, 그리고 팀원들.
소민, 인국, 눈물을 닦아내며 방방 뛰고 있다.
관중들의 함성은 이미 절정으로 치닫는다. "코리아!" "코리아!" "코리
아!!"
독일 선수들도 함께 축하하며 웃고 있다. 축제 분위기.

장내   (영) 대한민국의 골과 함께 경기가 끝났습니다! 5 대 1!!
            하지만 후반전은 1 대 1 동점입니다!! 대단합니다!! 대
            단합니다!!!

경기장에 뛰어 들어가 한데 얼싸안고 방방 뛰는 인국과 소민, 병삼,
그리고 홍대.
눈시울 붉지만 웃고 있는 팀원들… 월드컵 우승 팀 부럽지 않은 세리
머니….
축제를 즐기는 경기장의 풍경에서….

몽타주

이후 계속되는 경기 영상들과 신인 팀 상을 받고 트로피를 올려 보이며 기념사진을 찍는 홈리스 축구단 팀원들의 화면에서 자막.

'국가대표 홈리스 축구단은 이후 전 경기를 소화했다. 11전 1승 10패. 꼴찌였지만 한국 팀은 가장 인기가 많은 팀이었고, 2010년 최우수 신인 팀 상을 수상했다.'

페이드아웃.

소민 회사 / 낮

복도를 바쁘게 뛰어가는 병삼의 뒷모습.

소민 회사 / 낮

문을 벌컥 열고 들어오는 병삼.
TV를 보고 있던 소민과 직원들 몇몇이 기대하는 눈빛으로 병삼을 지
켜본다.

병삼   …시청률… 5.6프로!! 대박!!!

"와—." 소리 지르며 좋아하는 직원들.

소민   (의연함) 대단한 거 아니야. 힘들지 않았어. 후훗.

직원들의 축하를 받으며 환하게 미소 짓는 소민.

89 임대 아파트 안 / 낮

거실과 방 일체형의 작은 아파트 내부.

베란다 창문과 현관문을 열어놓은 채 집 정리를 하고 있는 환동.

얼추 끝났는지 허리를 펴고 뿌듯하게 집을 둘러본다.

그때, 조심스레 현관으로 들어서는 누군가.

환동, 기척에 현관을 보면, 그의 딸 현주가 갓난아이를 안고 서 있다.

눈을 마주치지도 않는 어색한 분위기에 무뚝뚝하게 사 들고 온 세제
를 툭— 내려놓는 현주.

환동, 고마운 미소를 지으며 딸에게 다가간다.

환동   …안아봐도 되겠나…?

말없이 아이를 건네는 현주.

초롱초롱한 아이를 내려다보는 할아버지 환동. 눈시울이 붉어진다.

환동   고맙데이…. 정말 고맙데이….

시동 걸린 승용차 앞에 은혜가 서 있다.
은혜와 눈높이를 맞춰 마주 보고 있는 효봉.

효봉　　　밥 잘 먹어야 돼. 내가 월드컵에서 코 큰 애들 많이 봐
　　　　서 알거든? 덩치가 이만 해서 괴롭힐지도 모르니까 막
　　　　잘 먹어야 돼. 응?

은혜　　　아빠나 잘 먹어. 김치만 먹지 말고 고기도 좀 먹어. (헤어
　　　　지기 싫은지 슬픈 짜증) 뒷다리 살 얼마 안 하잖아!

효봉　　　그래… 알았어. 그럴게. 이제 아빠 걱정 안 해도 돼. 아
　　　　빠 축구하는 거 봤지?

은혜　　　(눈물…) 응, 봤어. 걱정 안 해.

효봉　　　(애써 눈물을 참고 있다) 우리 은혜… 다 커서 보겠네…. 얼
　　　　마나 예뻐질까…?

은혜　　　기대해….

반대쪽에 서 있던 은혜 모, 운전석에 올라탄다.

은혜 모　　은혜야, 늦었어. 어서 타.

은혜　　　아빠….

효봉　　　응… 어여 타…. 타, 은혜야….

무거운 발을 옮겨 차에 올라타는 은혜.
효봉이 차 문을 닫아주지만 바로 창문을 내린다.

은혜   아빠… 금방 올게….

효봉   응…. (차가 출발하려고 하자 창틀을 붙잡고) 여보, 잠깐만. 여
        보, 잠깐만…! (은혜를 마지막으로 껴안으며) 은혜야! 아빠
        가… 이제 잘할 수 있어…. 잘하고 있을게…. 많이 사랑
        해…. 은혜 많이 사랑해.

은혜   나도 사랑해…. 빨리 어른 돼서 아빠 보러 올게….

효봉   응, 은혜야…. 가라…. 응… 가라, 은혜야….

차가 출발한다.
효봉에게서 시선을 떼지 못하는 은혜….
그제야 참았던 눈물을 쏟아내는 효봉…. 힘겹게 미소 지으며 손을 흔
든다.

한결 밝아진 얼굴로 깔끔하게 헤어 커트한 인선.
역 앞에서 잡지를 팔고 있다. "빅이슈! 빅이슈!"

경진   저기요….

뒤에서 부른 소리에 돌아보는 인선. 경진이 미소 짓고 서 있다.
가만히 그녀를 바라보는 인선.

경진   한 부 주세요.

살며시 미소 지으며 잡지 한 권을 건네는 인선.
그 잡지를 건네받은 사람은 경진과 다른 여자. 20대 직장인.
가만히 웃고만 있는 인선을 의아하게 바라보는 여자.

인선   아, 거스름돈…. 하하…. (거스름돈을 받고 돌아서려는 여자에
           게) 저기… 행복하세요.

가볍게 인사하고 돌아서는 여자.
멀어지는 여자를 기분 좋게 바라보다 다시 "빅이슈"를 외치는 인선.

진주의 고시원 앞 / 황혼

고시원 입구에 나란히 쪼그려 앉은 진주와 범수.

진주는 범수가 건네는 계란빵을 호— 호— 불고 있다.

그리고 그 계란빵을 범수에게 건넨다. 범수는 이게 뭔 일인가 싶다.

진주   축구 선수… 미남.

범수   !!!!!

어울리지 않게 굉장히 쑥스러워하며 계란빵을 받아먹는 범수. 행복하다.

잡지를 정리하느라 바쁘게 돌아가는 사무실 풍경.
그 가운데 사무실 전화기로 누군가와 통화 중인 인국.

인국　　아, 최 부장님! 우리 지원 안 받아요. 아, 스폰서 꽉 찼다
　　　　니까. … 아니, 그럼 필요 없는 걸 받아다가 뭐 우리 집
　　　　전세 자금으로 쓸까?

책상 위의 핸드폰이 시끄럽게 울린다.

인국　　그러니까 좀 빨리 좀 하지. 아, 미안해요. 나중에 전화할
　　　　게요! (핸드폰 받고) 네, 이 피디님! 아, 가야죠! 지금 나가
　　　　고 있어요! 네, 네~!

로커룸. 경기장. 관중석 교차

a. 선수 대기실
가볍게 몸을 풀고 있는 선수들 사이, 조용히 앉아 고개를 숙인 채 마음을 정비하고 있는 홍대의 뒷모습이 보인다.

b. 관중석
자리를 잡고 앉기 시작하는 홈리스 팀원들과 소민.
어디 못 가게 진주의 손을 꼭 잡고 있는 범수.
그리고 먹을거리를 한가득 사 들고 오는 인국.
서로 반갑게 인사한다.

c. 경기장 통로 안
양 팀 선수들이 출전 대기 중이다. 깊게 심호흡하는 홍대의 모습.

d. 경기장
관중들의 함성 소리와 함께 입장하는 선수들.
바로 뒤에서 "윤홍대"를 외치며 응원하는 팀원들.
홍대, 돌아보면, '불꽃 남자 윤홍대'라는 대형 현수막이 보인다.
손을 흔드는 팀원들과 인국, 소민.
그리고 바로 옆에 갓난아이를 안고 있는 선자가 크게 "우리 아들 파이팅!!!"을 외치고 있다.

그 옆엔 잘 숨겨주는 아저씨도….

선자   (갓난아이에게) 오빠 잘해~ 해야지~~ 호호. 우리 아들 잘
             생겼다!!!!

그런 엄마를 멀리서 보고 살짝 삑사리 느낌 나는 홍대.
…중앙선에서 공을 잡고 대기하는 홍대. 이내 경기가 시작된다.
무섭게 달리기 시작하는 홍대. 손에 땀을 쥐고 그를 응원하는 팀원들.
미드필더가 길게 크로스를 올린다.
골문을 향해 달려드는 홍대. 날아오는 공을 향해 멋지게 점프하는 홍
대의 모습에서.

끝

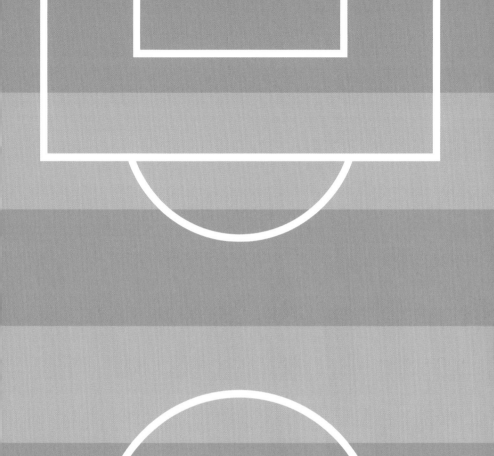

DREAM

화 보

<극한직업> 이후 4년 만의 신작입니다.
그동안 어떻게 시간을 보내셨나요?

<드림> 촬영과 후반 작업이 주를 이뤘다. 코로나로 인해 촬영이 중단된 사이, 다음 영화 시나리오를 완성했고, OTT용 시리즈 [닭강정] 집필 및 촬영을 마쳤다. [최종병기 앨리스], [유니콘] 등의 제작에도 참여해 쉬진 못했다.

지금까지 이런 영화는 없었다! 순도 100% 웃음으로 관객들의 선택을 받았던 코믹 수사극 <극한직업> 이후의 작품인데, 부담은 없으셨나요?

부담이 컸지만 <드림>은 훨씬 이전에 기획했던 영화다. <극한직업> 다음 작품이라는 부담감보다 그 작품의 성공으로 투자 받았다는 부담감이 더 컸다. 유의미한 성과가 있어야 한다는 중압감이 있었다.

'이병헌식 코미디'라는 말이 생길 정도입니다. 좋은 일임은 분명한데, 관객을 웃겨야 한다는 부담감도 있을 것 같습니다.

사실 웃음에 대한 관객들의 기대치가 이 정도일 줄은 몰랐다. 부담이 다시 생겼다.

어떻게 <드림>을 기획하게 되셨나요?

홈리스 월드컵에 대해선 TV 교양 프로그램에서 처음 봤다. 대회도 전혀 몰랐고, 홈리스에 대한 편견이 나한테도 분명 있었다. 지하도 어딘가에 누워 있는 이미지만 있었는데, 사실 그런 분들은 5%도 안 된다고. 고시원, 쪽방, 시설 등에서 지내는 분들이 대부분이다. 고시원에서 지낸 시간이 있었던 나도 어찌 보면 홈리스였던 거다. 살펴봐야 할 곳인데 너무 몰랐다는 생각이 들었다. 2010년 브라질 홈리스 월드컵에서의 경기 내용을 영화에 고스란히 담고 싶었다. 스코어까지 똑같다. 관중의 규모나 외국 관중의 대한민국 응원 등은 2015년 네덜란드 대회에 동행해서 봤던 모습을 비슷하게 가져왔다.

기획부터 개봉까지 가장 어려웠던 순간이 있다면?

이럴 수가 있을까 싶을 정도로 처음부터 끝까지 모두 어려운 과정이었다. 홈리스와 축구, 그 편견을 깨 나가는 과정이 녹록지 않았다. 캐스팅, 투자 모두 부침을 겪었고, 제작을 중단해야 했었다. <극한직업>의 성공 이후 다시 진행할 수 있었다. 이후엔 날씨와 코로나 문제, 개봉 시기엔 어려워진 극장 상황의 문제 등 쉽게 넘어가는 순간이 없었다.

<드림>은 2010년 홈리스 월드컵이라는 국제대회에 출전했던 실화를 모티브로 각색한 작품입니다. 영화를 제작하면서 가장 기억에 남는 에피소드가 있다면?

대한민국 홈리스 대표팀을 따라 2015년 네덜란드 대회에 동행했다. 브라질 월드컵은 규모가 작았는데 네덜란드 대회는 규모가 꽤 컸다. 네덜란드 국왕이 시축하고, 콜린 파렐 등 할리우드 배우도 경기를 보러 왔다. 꽤 인기 있는 대회라는 것에 놀랐고, 외국 선수들의 실력에 또 놀랐다. 영화에 담은 한국 팀과의 실력 차이가 그때도 존재했다. 그때의 한국 팀도 부딪치고 쓰러져가며 포기하지 않고 완주했다. 관중은 이기는 팀을 보며 스포츠 본질의 재미를 느끼는 동시에 포기하지 않고 열심히 하는 팀에겐 더 큰 박수와 응원을 보내줬다. 그 모습이 보통 스포츠 대회와 다르게 새롭고 재밌었다.

극중 유일하게 로맨스 라인을 구축한 배우 정승길과 이지현의 캐스팅 비하인드 스토리가 있을까요?

이지현 배우가 출연한 대학로 연극을 정승길 배우와 함께 봤다. 관람 후 함께 맥주 한잔하고 헤어지는데 두 분이 손을 잡고 가시더라. 20년 차 되어가는 부부가 손을 잡고 걷다니, 난 왜 거기서 문화적 충격을 받았는지. 도대체 나란 놈은 어떻게 살아온 건가 싶었다. 그 모습이 너무 예뻐 보인 나머지 두 분을 한 앵글에 담고 싶은 욕심이 생겨 실례인 줄 알면서도 동반 출연을 제안했다.

특유의 대사와 대사톤이 아니라면 이 영화의 기본적인 스토리는 누구나 예상 가능한 수준입니다. 굉장히 많은 출연자가 등장하고 저마다 사연이 있는 인물들인데도 영화 속에서 완전하게 소개되고 그 스토리들이 관객들에게 울림을 줍니다. 하지만 이 작품과 관련, 감독님 특유의 말맛을 언급하지 않을 수 없습니다. 과연 원동력은 무엇일까요?

<드림>의 사연들은 전부 인터뷰를 통해서 알게 된 내용들이다. 사실 대부분 우리가 쉽게 생각할 수 있는 경우들이다. IMF, 일용직 사고, 빚보증 등등 흔한 듯하지만 예민하게 접근할 수밖에 없어 시나리오 단계부터 철저히 계산했고, 어느 한쪽으로 치우치는 것도 경계해 인물들의 분량을 페이지 수까지 체크할 만큼 꼼꼼히 작업했다. 특유의 말맛이란 것은 그저 재밌게 전달하고자 하는 장치일 뿐이다.

여러 말 필요 없이 아이유와 박서준의 캐스팅으로도 유명한 영화입니다. 두 사람과의 호흡은 어땠나요?

크게 디렉션이 필요 없는 배우들이었다. 배우의 연기를 먼저 보는 편인데, 별로 할 말이 없어서 오히려 대화가 적었다. 현장에선 대화가 적은 게 좋은 쪽이라고 생각한다. 기술적으로도 모자람이 없고 매우 똑똑한 배우들이다. 그들이 함께해준 것이 아직도 벅차고 감사하다.

영화의 등장인물들이 모두 선합니다.
나쁜 사람은 정말 하나도 없었나요?

내가 제일 나빴을 것 같다.

하고 싶었던 이야기들이 인물들의 대사로 전달됩니다. 정말 가장 하고 싶었던 이야기, 감독이 뽑은 명대사가 있다면 무엇일까요?

우리 뒤쪽엔 울타리가 있다. 홈리스들은 바로 앞쪽에 울타리가 있다. 아주 가까운 곳인데 모른다. 우리가 밀려나면 울타리는 앞쪽으로 온다. 잠시 밀려난 사람들을 돌보는 일은 바로 우리를 돌보는 것이라 생각한다. 그 이야기를 하고 싶었다. 그에 맞는 대사는 "축구를 앞에 가는 놈 혼자 하나?"

아쉬움이 없을 수 없을 텐데요, 가장 아쉬운 건 무엇인가요?

역시 코로나다. 모두가 힘든 시기였기 때문에 우리도 힘들었단 얘기는 굳이 할 필요가 없을 것 같지만, 아무도 잘못한 사람이 없는데 예산이 늘어나버렸다. 하필 가장 중요한 해외 촬영분이 남았는데…. 결국 가장 중요한 시퀀스를 가장 열악한 환경에서 찍어야 했다. 준비를 잘해서 출발했지만, 헝가리로 향하는 비행기 안에서도 다 찍을 수 없을 거라 생각했을 정도였다. 너무 빠듯했다. 현장에서 수정하지 못하고 넘긴 부분이 있었기 때문에 아쉬움이 많이 남지만, 그래도 다 찍었다는 게 기적 같다. 우리 스태프, 배우들 모두 정말 대단하다고 생각한다.

영화를 본 관객이나 각본집으로 접할 독자들에게 한 말씀 해주신다면?

착한 이야기고 널리 알리고 싶은 이야기라는 의미 외에도 대중영화로서 재미도 갖춘 영화이길 바라며 열심히 만들었지만, 나의 최선이 누군가에겐 한없이 모자랄 수 있단 걸 잘 알고 있다. 다만 이 영화로 인해 〈빅이슈〉 잡지가 한 권이라도 더 팔린다면, 한 분이라도 자립에 도움을 받는다면, 이 생각으로 가산점 1점만 얹어서 봐주신다면, 좀 더 재밌을 수 있지 않을까? 약간 읍소하듯 한 관람법을 제시하고 있는 만든 이의 간절함을 애써 감추지 않아 본다.

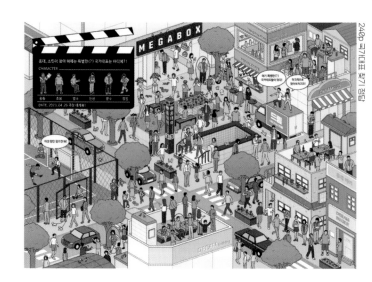

드림 DREAM

초판 1쇄 인쇄
2023년 5월 25일
초판 1쇄 발행
2023년 6월 10일

글
이병헌

펴낸이
백영희

펴낸곳
㈜너와숲

주소
04032 서울시 금천구
가산디지털1로 225
에이스가산포휴 204호

전화
02-2039-9269

팩스
02-2039-9263

등록
2021년 10월 1일
제2021-000079호

ISBN
979-11-92509-63-1(03680)

정가
20,000원

©플러스엠 엔터테인먼트

이 책을 만든 사람들

편집
전혜영
마케팅
배한일

제작처
예림인쇄

디자인
글자와기록사이